UNA GUÍA PASO A PASO

MANUAL DE CORTE DE PELO PARA MUJER

Coordinación: **Luis Lesur**

EDITORIAL TRILLAS

México, Argentina, España,
Colombia, Puerto Rico, Venezuela ®

Catalogación en la fuente

Lesur, Luis
    Manual de corte de pelo para mujer : una guía paso
a paso. -- México : Trillas, 2000 (reimp. 2008).
    80 p. : il. col. ; 27 cm. -- (Cómo hacer bien y
fácilmente)
    ISBN 978-968-24-6090-6

    1. Cabello - Cuidado e higiene. 2. Belleza personal.
I. t.

D- 646.724'L173m   LC- TT972'L4.5   3368

División Administrativa
Av. Río Churubusco 385
Col. Pedro María Anaya, C. P. 03340
México, D. F.
Tel. 56884233, FAX 56041364

División Comercial
Calzada de la Viga 1132
C. P. 09439, México, D. F.
Tel. 56330995, FAX 56330870

www.trillas.com.mx

Miembro de la Cámara Nacional de
la Industria Editorial
Reg. núm. 158

Primera edición SS
ISBN 978-968-24-6090-6
⚓ (SA)

Reimpresión, 2008

Impreso en México
Printed in Mexico

Se imprimió en
Rotodiseño y Color, S. A. de C. V.
B 100 RW

En la elaboración de este manual participaron:

Diseño gráfico y fotografía

Carlos Marín
Olivia Ortega

Producción

Blanca Chávez
Setelbait Nasser

Colaboración

Estética Jaroka. Estilista Jannet Rodríguez. *Av. San Diego esq. Cleopatra, colonia Delicias. Cuernavaca, Morelos. Teléfono (01 73) 16 32 71*

Estética Clöe. Estilista Claudia Hermosillo. *Av. San Diego 697 Altos, colonia Vista Hermosa. Cuernavaca, Morelos. Teléfono (01 73) 22 27 45*

Estética Park Avenue. Estilista Bárbara Laborde. *Av. Ávila Camacho 274, colonia La Pradera. Cuernavaca, Morelos. Teléfono (01 73) 11 00 36*

Estética Coral Gable. Estilista Alfredo Angulo Sauceda. *San Jerónimo 270, colonia Tlatenango. Cuernavaca, Morelos. Teléfono (01 73) 11 75 19*

INTRODUCCIÓN

EL CORTE DE PELO DE MUJER, COMO
TODOS LOS OFICIOS, REQUIERE DE
ALGUNOS CONOCIMIENTOS BÁSICOS
QUE CONVIERTEN AL ESTILISTA EN UN
PROFESIONAL DE SU TRABAJO, CAPAZ DE
LOGRAR RESULTADOS SORPRENDENTES.
EL PRESENTE MANUAL NOS ADENTRA
EN ESTOS PRINCIPIOS, COMENZANDO
CON UN REPASO DE LO QUE ES NUESTRO
CABELLO.

En este manual se describen, en primer lugar, las herramientas básicas del oficio. Después se habla de las manos del peluquero, las tijeras y el peine, como las únicas herramientas imprescindibles, además de mencionar las dos técnicas principales para el corte de pelo.

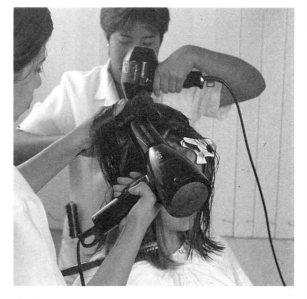

Enseguida repasamos el proceso general del corte, que abarca desde la preparación para el corte hasta el secado y peinado final.

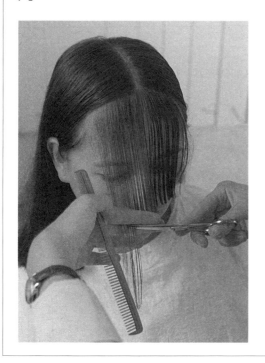

Los dos últimos capítulos están dedicados a la descripción de los dos cortes básicos, el *Bob* y el corte en capas, mostrándonos además una amplia gama de posibilidades de cortes secundarios para cada uno de ellos.

EL CABELLO

EL PELO NACE EN LA RAÍZ, LA CUAL PRODUCE CABELLO SIN CESAR. POR ESO, EL PELO CRECE CONTINUAMENTE. PERO EL PELO EN SÍ CARECE DE VIDA. UNA VEZ QUE SALE AL EXTERIOR YA NO SE NUTRE DE LA RAÍZ, Y ES UNA MATERIA INERTE MUY RESISTENTE, A LA QUE DEBEMOS CUIDAR.

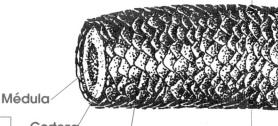

Médula

Corteza

Cutícula

La cabellera es una capa protectora para nuestra cabeza; se compone de miles de pelos constituidos por una proteína y tiene tres capas: la cutícula, la corteza y la médula.

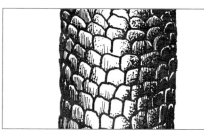

Cutícula del cabello normal

Cutícula del cabello dañado

El daño a la cutícula suele aparecer cuando se le ponen al cabello demasiados productos químicos, si éste se seca con un calor excesivo o si se cepilla mientras está mojado, o bien, cuando se le aplican productos alcalinos en exceso o se expone demasiado al cloro o al sol.

La cutícula es la capa exterior, formada a su vez por pequeñas capas o escamas sobrepuestas de una proteína muy dura, llamada queratina, que protege al cabello y le ayuda a conservar la humedad. Cuando la cutícula está dañada, el cabello se ve opaco y seco.

La corteza es la capa de en medio, constituida por la melanina o pigmento que da el color al cabello. Éste puede ir del negro intenso, cuando tiene una gran cantidad de partículas de pigmento, al pelo blanco, casi transparente o albino, cuando las personas carecen de pigmento o melanina, pasando por los colores castaño oscuro y claro, café, rojizo y rubio.

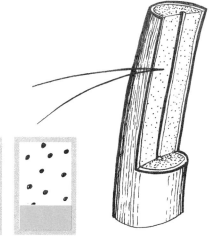

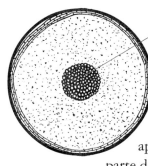

Médula

La médula está en el centro del cabello; compuesta por células circulares, ocupa aproximadamente la quinta parte del espesor del pelo.

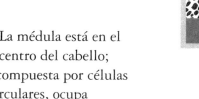

Melanina

La raíz está formada por un folículo o cavidad en la que se aloja una papila, que es la que produce las células del cabello. La forma del folículo determina la forma que tendrá el cabello, que puede ser lacio, ondulado, rizado o ensortijado.

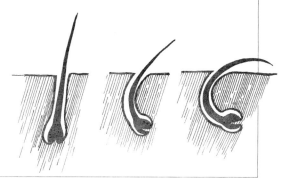

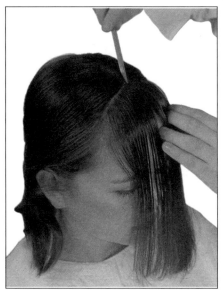

Independientemente de su forma, el cabello puede tener una textura fina, mediana o áspera, íntimamente ligada al grueso del cabello, que puede ser delgado, mediano o grueso.

El pelo con textura fina es suave y brillante, pero débil, generalmente lacio y difícil de mantener peinado.

Cuando el cabello es de una textura media tiene más cuerpo y vitalidad, con una dirección fuerte, de modo que al cortarlo y peinarlo conviene seguirla. Son cabellos vulnerables a la orzuela, una condición en que las puntas se desgajan y abren.

Si la textura es áspera, el pelo carece de brillo y aparece seco, tieso, abultado. Es una clase de cabello que requiere acondicionadores, más cuidados, un buen corte y un buen estilo.

El cabello crece aproximadamente un centímetro al mes; es por ello que los cortes en el cabello corto se vuelven disparejos más rápidamente y hay que estarlos volviendo a hacer cada cuatro o cinco semanas. En cambio, el crecimiento en el cabello largo se nota menos, de manera que un corte puede durar con excelente apariencia de ocho a diez semanas.

El cabello es ligeramente elástico: se estira un poco al jalarlo y más todavía cuando se humedece. Por eso, si el cabello se corta mientras está húmedo, al secarse quedará más corto todavía.

Además, los cabellos ondulados y aun los rizados se alacian un poco cuando están mojados.

HERRAMIENTAS DEL OFICIO

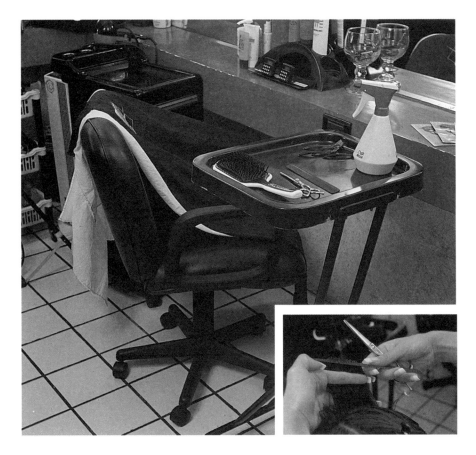

E L OFICIO DE CORTAR EL PELO TIENE POCAS HERRAMIENTAS ESENCIALES: BASTAN UNAS TIJERAS, PEINE, CEPILLO, UNA SILLA Y UN BANCO PARA PODER HACERLO MUY BIEN Y CON ÉXITO. CLARO, HAY OTROS INSTRUMENTOS QUE AYUDAN A HACERLO MÁS CÓMODAMENTE, COMO VARIAS TIJERAS ESPECIALIZADAS, OTRAS BROCHAS Y CEPILLOS, BOTELLAS PARA ROCIAR, ESPEJOS, BATAS, CLIPS, SECADORAS, TINAS PARA LAVADO DEL CABELLO Y DIVERSOS PRODUCTOS PARA EL PELO.

TIJERAS

Hay varios modelos diferentes de tijeras para cortar el pelo, una para cada gusto, pero tres son las principales: la minitijera, la tijera de hoja larga y la tijera de entresacar.

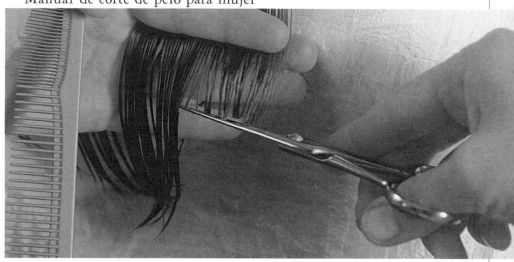

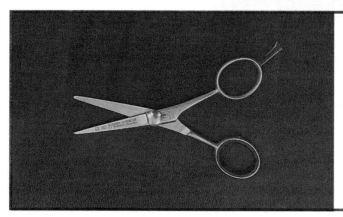

La **minitijera**, con la hoja de unos 10 a 12 cm de largo, se usa para un corte exacto de las puntas, con un mayor control de la herramienta.

Las **tijeras de hoja larga** se emplean generalmente en combinación con el peine para cortes mayores y uniformes, indispensables en los estilos en capas, pues las pequeñas cortarían secciones reducidas y las capas no serían parejas. El apoyo para el dedo no es necesario, pero ayuda a mantener el balance de la herramienta mientras se está cortando.

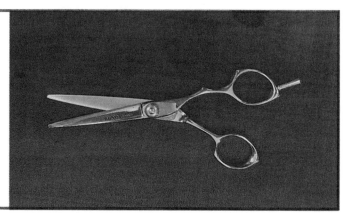

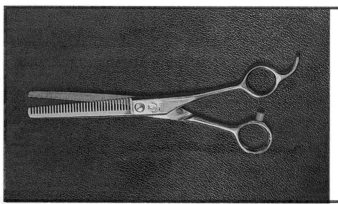

Hay dos tipos de **tijeras para entresacar**: aquellas que tienen las dos hojas con dientes y las que solamente tienen una. Estas tijeras sirven para quitar el cabello excesivo sin que pierda el largo.

Las partes principales de las tijeras son:

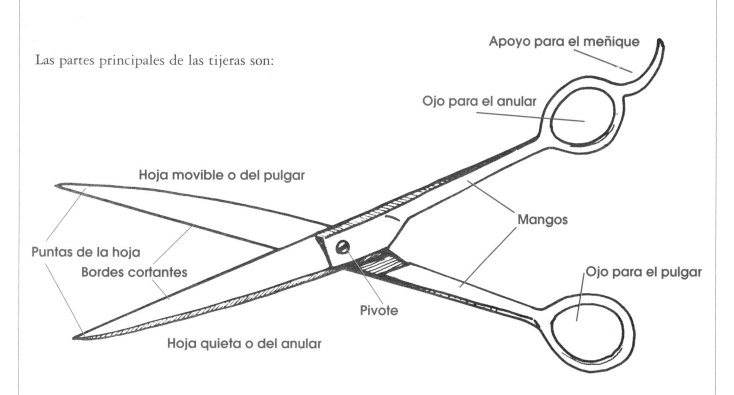

Apoyo para el meñique

Ojo para el anular

Hoja movible o del pulgar

Mangos

Puntas de la hoja

Ojo para el pulgar

Bordes cortantes

Pivote

Hoja quieta o del anular

Las tijeras para pelo generalmente tienen una hoja con el filo áspero, de modo que atrapan el cabello, evitando que se deslice mientras se van cerrando.

Las tijeras para cortar el pelo sólo se deben usar para eso: no las emplee para otra cosa. Mientras no las use, póngalas en un lugar seguro.

Después de cada corte, límpielas perfectamente y ponga unas gotas de aceite en el pivote y en las hojas. Jamás corte el cabello sucio y asegúrese de que esté recién lavado.

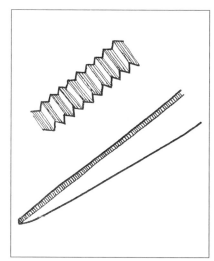

NAVAJAS

Las navajas de rasurar que tienen una protección, ya sea la convencional de barbero o las navajas desechables, se usan también para cortar el cabello, con unas técnicas distintas del corte con tijeras. Se conocen como **corte a la navaja** y dejan un acabado muy singular en estilos cortos.

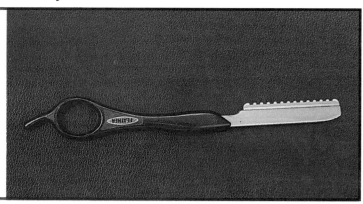

MÁQUINAS

Las máquinas de pelar o de esquilar, generalmente usadas por los peluqueros y barberos, también se emplean algunas veces para quitar el pelo de la parte baja de la nuca.

PEINES

Lo usual es tener dos o tres peines resistentes. Uno de ellos es el **peine tradicional,** para todo uso, con una mitad de los dientes más gruesos y separados, que se usan generalmente para desenredar el cabello, y otra mitad con los dientes más delgados y cerrados, que se emplean para levantar el cabello al cortarlo.

El **peine con mango, de dientes gruesos,** largos y espaciados, resulta apropiado para trabajar con el cabello muy largo, muy grueso o dañado, aunque hay estilistas que lo emplean para todo, como su peine principal.

El **peine con mango, de dientes finos y cerrados,** además de ser adecuado para el corte de pelo, puede resultar útil en el peinado.

*El delgado **peine de peluquero,** para pelo muy corto, tiene poco uso en el manejo de melenas femeninas.*

OTROS INSTRUMENTOS

El **cepillo de plástico** con cerdas espaciadas funciona mejor que el antiguo cepillo de cerdas naturales muy cerradas, pues llega hasta el cuero cabelludo, con lo que se facilita el peinado que hay que hacer antes y después del corte, del masaje y del shampoo.

Las **brochas** se usan para sacudir y quitar el pelo cortado de las orejas, el cuello y los hombros. Pueden ser especiales para peluquería, aunque la tradicional brocha para rasurar funciona muy bien para estos menesteres.

Los **clips** o **broches** para el cabello se usan para mantener en su lugar el pelo cercano al área donde se está cortando.

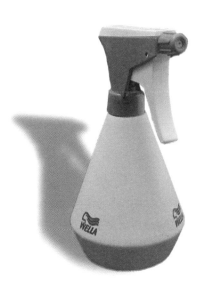

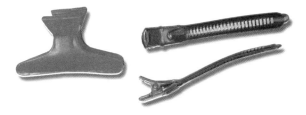

La **botella rociadora** se utiliza para humedecer el cabello y hacer más fácil cortarlo, pues al estar húmedo queda en un solo mechón que no se esparce.

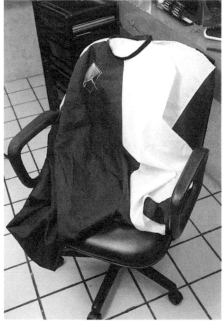

Para mover las manos y las herramientas con soltura mientras se está cortando el cabello, conviene tener una **silla baja**, y posiblemente un **cojín**, para que se siente la clienta y un **banco alto**, en el que descanse usted.

Mientras se corta el cabello se trabaja tan cerca de la persona, que el estilista se tiene que alejar con frecuencia para apreciar todo desde una distancia mayor. Un **espejo grande** aumenta de dos a tres veces la distancia entre sus ojos y el cabello que está trabajando, sin necesidad de moverse de su lugar, de modo que es una buena herramienta en la que, además, la clienta puede ver lo que pasa.

Para que la ropa de la clienta no se llene de cabellos cortados, se acostumbra colocar, ceñida al cuello con un clip, **una manta o bata**, que al terminar el trabajo se retira.

Para que en la ropa del estilista no se adhiera el cabello cortado, se usa una **bata**.

*El **equipo para shampoo** consiste en un lavabo para el cabello, una manguera pequeña con regadera conectada a una llave mezcladora de agua caliente y fría, una silla adosada al lavabo, una bata ahulada y varias toallas.*

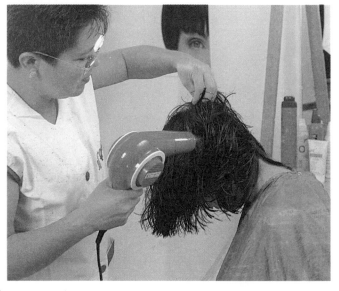

Para secar el pelo se emplea una **secadora**.

TÉCNICA BÁSICA

SEGURAMENTE USTED HA VISTO A ALGÚN ESTILISTA EXPERTO DAR TIJERETAZOS EN UNA CABELLERA, RÁPIDAMENTE, UNO AQUÍ, OTRO ALLÁ, COMO SIN TON NI SON, HASTA QUE TERMINA, PASA EL CEPILLO Y NOS MUESTRA A LA MODELO, BELLÍSIMA, CON UN CORTE EXCELENTE HECHO CASI COMO UN ACTO DE PRESTIDIGITACIÓN. ÉSE ES EL FINAL DEL CAMINO, NO EL PRINCIPIO. ES POSIBLE QUE USTED TERMINE HACIENDO LOS CORTES COMO GRAN ESTILISTA, PERO ANTES HAY QUE CONOCER LA TÉCNICA BÁSICA, BASTANTE MÁS LENTA.

El gran estilista puede cortar los cabellos rápidamente y producir un corte y un peinado perfectos, no sólo porque maneja muy bien las tijeras, sino porque sabe perfectamente qué resulta de cada tijeretazo. Conoce de antemano cómo queda el pelo si lo jala hacia un lado o hacia arriba, si la tijera va paralela al cuero cabelludo o si lleva alguna inclinación, y sabe también que un corte y el de junto deben tener el mismo largo aproximado para que el cabello no se vea tusado, disparejo. Este capítulo trata de esos conocimientos.

Las manos, las tijeras y el peine

En el corte de pelo intervienen ambas manos, las tijeras y el peine. Las dos manos son cruciales, pero probablemente en la realización de un corte, la mano izquierda sea un poco más importante que la derecha. Esto si usted es diestro, pues si es zurdo, será a la inversa.

La mano derecha o mano dominante es la que maneja las tijeras y peina el cabello. La mano contraria, llamada mano guía, hace tres cosas: sostiene el cabello, determina el largo al que se va a cortar y sostiene el peine mientras la mano dominante corta.

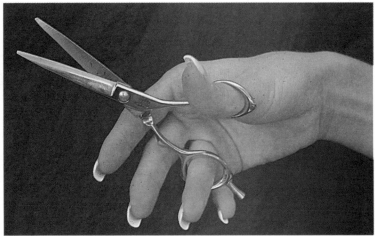

Las tijeras se toman con la mano dominante; el tornillo del pivote debe estar dirigido hacia usted. El dedo pulgar se mete en el ojo para el dedo pulgar, que es ligeramente más grande que el otro, en tanto que en el otro ojo se mete el dedo anular. Si las tijeras tienen apoyo para el meñique, este dedo descansa en él.

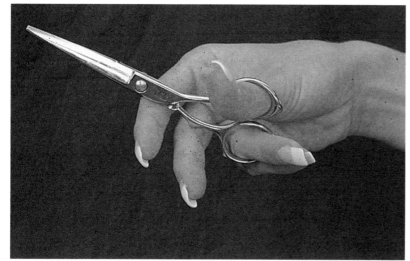

Ya que se tienen las tijeras en la posición correcta, conviene abrirlas y cerrarlas moviendo el pulgar para que solamente esa hoja se mueva y la otra permanezca sin movimiento.

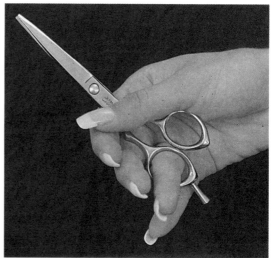

Durante el proceso de corte, por momentos las tijeras permanecen cerradas en la palma de la mano. Para ello se retira el pulgar del ojo de la tijera; el anular se mantiene en su sitio y la tijera reposa en la palma. Para abrir las tijeras se inserta de nuevo el pulgar en el ojo.

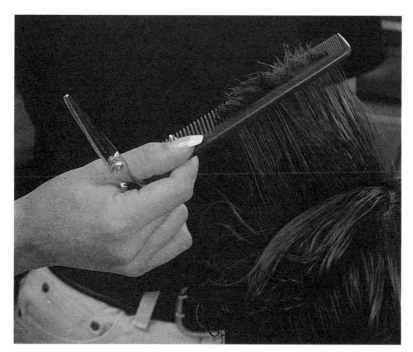

Las tijeras se cierran en la palma de la mano para poder tomar el peine con el pulgar y el índice de la mano dominante y peinar un mechón de cabello de unos dos centímetros, levantando el peine desde el cuero cabelludo, hasta que sólo las puntas de los cabellos sobresalgan del peine.

Al peinar con la mano dominante, el mechón de cabello peinado se sostiene, abajo del peine, entre los dedos índice y medio o cordial de la mano guía, con una ligera tensión desde el cuero cabelludo, para después cortarlo con las tijeras.

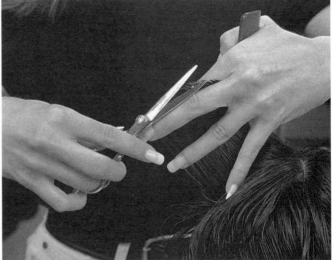

Al mismo tiempo, la mano guía determina el largo al que se ha de cortar el cabello, ayudándose con los dedos anular y meñique o dedos espaciadores, que descansan sobre el cuero cabelludo. Los diferentes largos del cabello requieren de posiciones diferentes de los dedos espaciadores. Cuanto más corto sea el pelo, estos dedos estarán menos separados; cuanto más largo, más separados.

Para cortar todo el pelo del mismo largo se debe encontrar la posición de los dedos espaciadores con que se logra ese largo, y luego, repetir la misma posición de la mano durante todo el proceso.

Al tomar el cabello, el dedo índice queda al nivel del cordial, de modo que el mechón de pelo que queda abajo, que es el que no se va a cortar, quede completamente recto. Si, al tomar el pelo, el índice queda arriba del cordial, el mechón no puede quedar recto, sino francamente doblado en la punta.

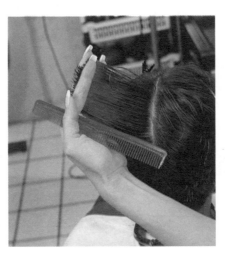

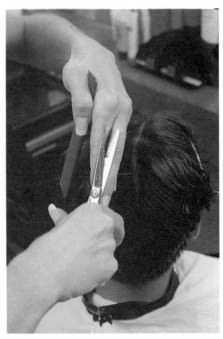

Al empezar a cortar, el peine se pasa a la mano guía para, con la mano dominante, hacer el corte de los cabellos que sobresalen entre los dedos de la mano guía, y en seguida se vuelven a sostener las tijeras en la palma de la mano.

Todos los movimientos con las tijeras y el peine se conocen como un paso en el proceso de corte, rutina que se repite entre 60 y 120 veces en un corte. Para dominar estos movimientos de manera automática y usted se pueda concentrar en la técnica del estilo, es necesario que los practique.

Para practicarlos haga todos los movimientos que se han descrito ayudándose del cabello de una amiga o de una peluca, solamente que en lugar de cortar, simule el corte; es decir, cierre las tijeras sin que haya cabellos dentro de ellas.

Hay cuatro tipos principales de corte con las tijeras: el corte para rebajar,

el corte para rectificar o terminar,

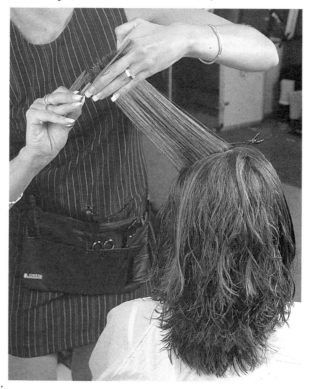

el corte para delinear o contornear...

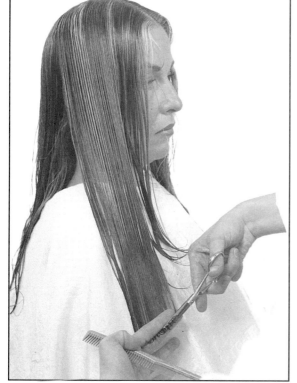

...y el corte para entresacar.

*El **corte de rebajado**, que se hace de la manera antes descrita, es el proceso de quitar el exceso de pelo, de manera que quede de un largo lo más aproximado al largo final que se desea. Es una operación que generalmente se repite unas 60 veces en un corte normal.*

*El **corte de rectificado** o **de terminado** es semejante al anterior y tiene por objeto afinar el corte para terminarlo, eliminando las puntas que sobresalgan, corrigiendo las capas incorrectas, etcétera.*

*El **corte para contornear** o **delinear** es diferente del rebajado, con una técnica distinta, pues aquí se cortan las puntas del cabello tal como caen hacia abajo, cerca de la piel, de manera que sigan el contorno, perímetro o línea exterior del corte.*

*El **corte de entresacado**, que se hace con las tijeras de entresacar o con las tijeras normales, sirve para reducir el volumen de pelo, sin afectar su largo aparente.*

LAS DOS TÉCNICAS PRINCIPALES

Aun cuando hay una variedad enorme de cortes y estilos para peinados, todos se reducen a dos formas principales y una combinación de ellas. Éstas son el corte redondeado y el corte en capas.

Corte redondeado o *Bob*

Corte en capas

CORTE REDONDEADO O *BOB*

El corte redondeado, mejor conocido como *Bob*, que puede ser corto o largo, consiste en peinar el pelo naturalmente hacia abajo y cortarlo recto, uniforme, con todas las puntas perfectamente igualadas.

Las variaciones de este corte son principalmente cambios en el largo, en la forma del contorno, que puede no ser completamente recto, horizontal, sino tener un cierto dinamismo, y las diversas formas de peinarlo, ya sea completamente lacio o con ondulaciones hacia adentro o hacia afuera.

El Bob *es probablemente el corte más sencillo y el más fácil de aprender para el principiante, pues basta peinar y despuntar el cabello correctamente con el corte de contornear.*

CORTE EN CAPAS

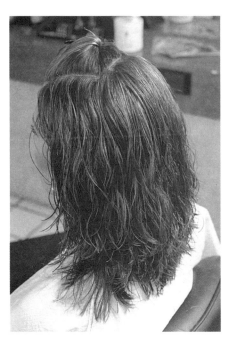

En el corte en capas el cabello cae escalonado, como si fueran las tejas superpuestas de un techo, en largos aparentemente distintos en diferentes zonas de la cabeza, lo que da a la cabellera una apariencia de frescura y movimiento. El corte en capas tiene variantes con diversos nombres, como *degrafilado* y *desvanecido.*

Hay una profusión de posibilidades en los cortes en capas, dadas principalmente por el grado con que se sobreponen los cabellos de diferentes tamaños y su largo, en las diversas partes de la cabeza.

Con mucha frecuencia hay combinaciones del corte *Bob* con desvanecidos o degrafilados, que aumentan la variedad de opciones que tienen las dos formas básicas de cortar el pelo.

El corte en capas con frecuencia requiere un acabado en el perfil o contorno, para emparejar las puntas de los cabellos siguiendo una determinada línea de corte.

ÁNGULOS DE CORTE

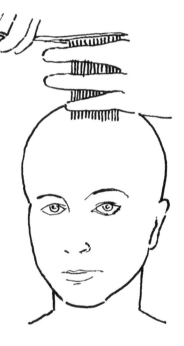

Algunos de los cortes de pelo se hacen en capas. En ellas, los cabellos inferiores son más largos que los superiores, pues los cabellos caen unos sobre otros, como las tejas en un tejado, siempre los superiores más cortos que los inferiores.

Este cambio progresivo del largo del cabello se logra levantando los mechones de pelo desde el cuero cabelludo y cortando. Si se cambia la elevación del mechón se logra una sobreposición diferente de los cabellos.

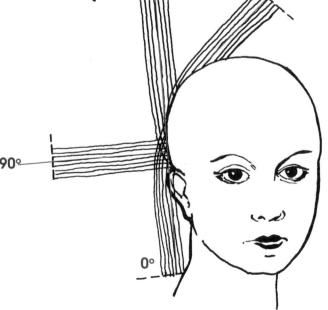

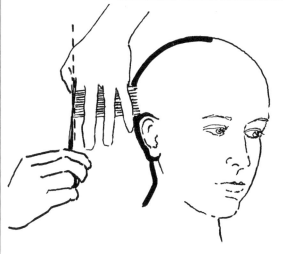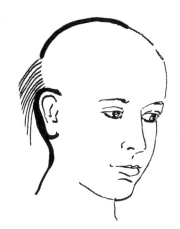

Supongamos que se toma un mechón de cabello dc arriba de la oreja y se jala perpendicularmente al cráneo, para hacer un corte en el que todos los cabellos tienen el mismo largo. Una vez que se hace el corte, el pelo se suelta para que caiga. Al caer, los cabellos cuelgan pero no quedan del mismo largo, sino como si fueran las tejas de un tejado.

El grado de sobreposición de los cabellos cambia según el ángulo con que se levanten los mechones y según el ángulo de la tijera al hacer el corte. Veamos primero los ángulos.

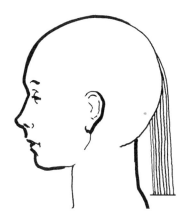

Se dice que el cabello que cae naturalmente sobre el cráneo, el cuello o la espalda, tiene una elevación de 0 grados o 0°.

0°

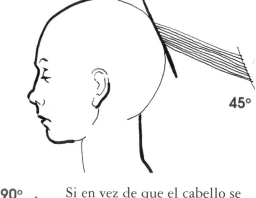

45°

Cuando el cabello se levanta perpendicular al cráneo, como si saliera recto del cuero cabelludo se dice que tiene una elevación o un ángulo de 90°.

90°

Si en vez de que el cabello se levante recto, en un ángulo de 90°, se eleva a una posición intermedia entre la elevación de 0° y la de 90°, entonces se tiene un ángulo de 45°.

180°

230°

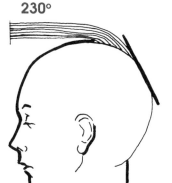

Si el cabello se levanta a una posición completamente contraria a su caída natural, se tendrá entonces un ángulo de 180° y hasta 230° en un ángulo a contrapelo.

Si el corte se hace a 45°, la diferencia de largo de los cabellos sobrepuestos es menor que si se hiciera a 90°, y es todavía más pequeña que si el corte fuera en un ángulo de 180°.

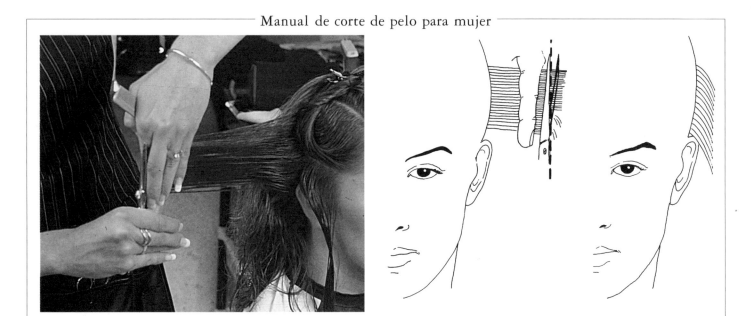

Si al cortar el mechón la tijera se coloca en forma completamente paralela al cráneo, para que todos los pelos se corten del mismo largo, la diferencia de largo de los cabellos resulta mediana.

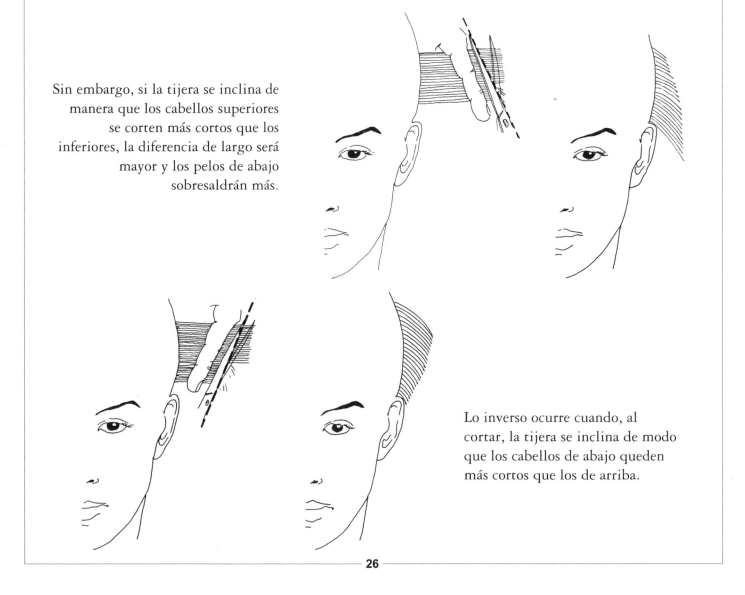

Sin embargo, si la tijera se inclina de manera que los cabellos superiores se corten más cortos que los inferiores, la diferencia de largo será mayor y los pelos de abajo sobresaldrán más.

Lo inverso ocurre cuando, al cortar, la tijera se inclina de modo que los cabellos de abajo queden más cortos que los de arriba.

DEGRAFILADO

El desvanecido del cabello, hecho mediante el corte de grandes mechones colocados en una posición elevada, contraria a su caída natural, también se conoce como degrafilado.

Los resultados combinados de diferentes ángulos de corte, diferentes largos y diversa inclinación de la tijera se pueden observar en los siguientes ejemplos.

Uno de los cortes básicos más comunes en el corte en capas es con un mechón casi vertical, de 135°, y la tijera horizontal, con lo que queda degradado con los pelos cortos bastante cortos y los largos bastante largos, y una diferencia de largo que va aumentando de arriba hacia abajo.

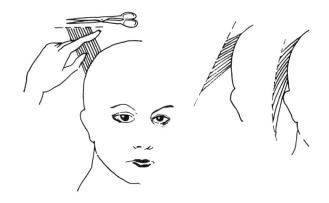

Si el mismo corte anterior se hace con un corte más cercano al cuero cabelludo, entonces las zonas altas quedan mucho más cortas, al igual que las bajas.

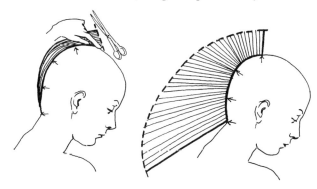

Si el mechón tiene un ángulo ligeramente más bajo y el ángulo de corte no es horizontal sino inclinado, queda un desvanecido con una menor diferencia de largo, con las puntas más salientes.

Lo contrario ocurre si el mechón se levanta a 230°, completamente a contrapelo, tomando incluso más cabello de las partes altas de la cabeza; se logran diferencias más visibles cuanto más cortos se dejen los cabellos de arriba.

Ángulo de corte

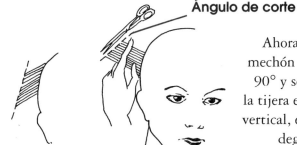

Ahora bien, si el mechón se coloca a 90° y se corta con la tijera en posición vertical, entonces el degrafilado es menos acentuado.

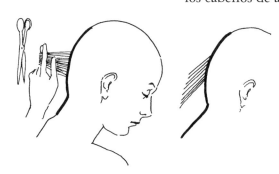

Guías y puntos de control

El corte de pelo acorta el pelo, le disminuye el largo. La mayoría de las veces el corte consiste simplemente en cortar aquello que ha crecido en un mes o dos. Otras veces el corte implica transformaciones más radicales, pues se puede tratar de un cambio de melena larga a media o a corta.

Cualquiera que sea el caso, el largo al que se corta el pelo es fundamental, tanto porque el largo en sí del cabello es el estilo del corte, como porque tiene que quedar parejo y armónico en toda la melena.

El largo al que se corte el pelo depende del estilo y también de ciertas características del mismo, la cara y el cuerpo de la clienta, para que todo armonice.

Las características del cabello

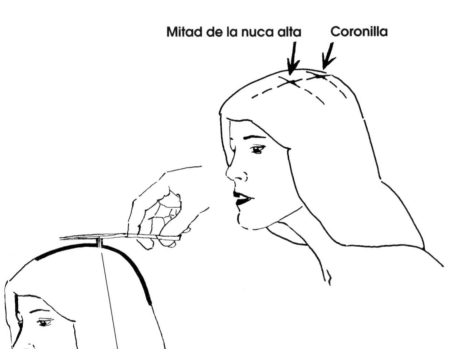

Mitad de la nuca alta   **Coronilla**

Un estilo muy corto con un pelo lacio, áspero y grueso, puede terminar como la cabeza de un puerco espín.

Para que esto no suceda, los estilistas, cuando van a realizar un estilo corto, hacen algunas pruebas del comportamiento del cabello ante diferentes largos. Estas pruebas las realizan en dos puntos de control: a la mitad de la nuca alta, cerca de la coronilla, ahí donde algunos tenemos los remolinos, y en la coronilla precisamente.

Primero se corta un mechón de un centímetro en el centro de la parte media de la nuca alta y se deja caer. Si es demasiado corto se erizará; si es demasiado largo, caerá lacio. Para encontrar el punto correcto se van cortando las puntas poco a poco y se va viendo cómo cae y cómo se ondula en cada largo.

Si aun así tiene dudas sobre el largo correcto, haga una muestra con un mechón al centro del vértice o coronilla. De esa manera tendrá usted una referencia del largo mínimo al que puede cortar una cabellera, según las características del pelo de la clienta.

LAS PARTES DE LA CARA Y CUELLO

También debe haber una cierta armonía entre el largo de la frente y largo del fleco, el tamaño de la mandíbula y el largo del pelo de los lados, o el tamaño del cuello y el largo de la melena alrededor de los hombros.

Para orientar un poco estas armonías, los estilistas toman como punto de referencia las partes de la cara, el cuerpo, los hombros y la espalda.

Para entendernos mejor veamos los nombres de algunas de estas partes tal como las designan algunos estilistas.

Las cejas son referencia para el corte del fleco, si lo hay.

La altura de la boca y el nivel al que se encuentra la quijada ayudan a determinar el largo en los lados, al igual que las sienes en los cabellos muy cortos, lo mismo que las orejas, en las que se distinguen tres niveles.

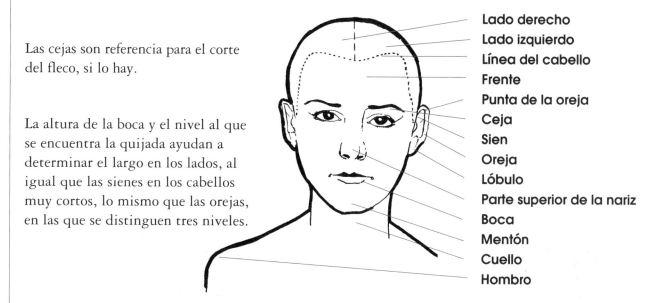

Lado derecho
Lado izquierdo
Línea del cabello
Frente
Punta de la oreja
Ceja
Sien
Oreja
Lóbulo
Parte superior de la nariz
Boca
Mentón
Cuello
Hombro

Los hombros y la nuca baja son un punto de referencia que ayuda a indicar el largo del cabello por la parte de atrás.

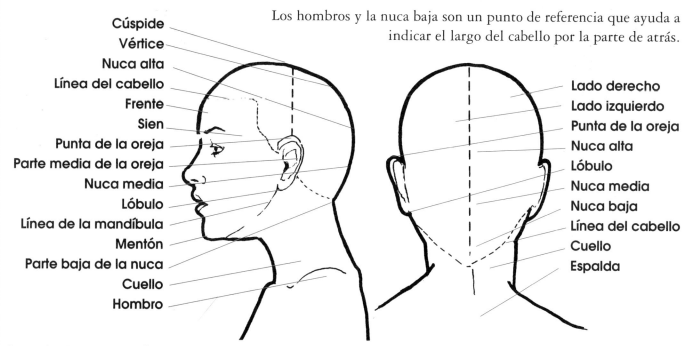

Cúspide
Vértice
Nuca alta
Línea del cabello
Frente
Sien
Punta de la oreja
Parte media de la oreja
Nuca media
Lóbulo
Línea de la mandíbula
Mentón
Parte baja de la nuca
Cuello
Hombro

Lado derecho
Lado izquierdo
Punta de la oreja
Nuca alta
Lóbulo
Nuca media
Nuca baja
Línea del cabello
Cuello
Espalda

La nariz sirve como referencia para centrar el pelo de la parte superior de la cabeza, en tanto que el hueso occipital o hueso trasero del cráneo es una referencia para los cortes en cuña u hongo.

EL ESTILO

El estilo del corte es el factor más determinante del largo al que hay que cortar el pelo, tomando en consideración, claro, las características del pelo y la anatomía de la clienta. Se puede decir en general que hay tres tamaños de pelo: el largo, que cuelga sobre los hombros y parte de la espalda, el mediano, que no toca los hombros, pero cuelga alrededor de la mitad del cuello, y el corto, que no cuelga o no pasa de la parte alta del cuello.

Hay estilos en los que todo el cabello se corta del mismo largo, en tanto que en otros, unas partes van más largas que otras, generalmente con un ligero desvanecido entre ellas, para que las diferencias no parezcan escalones.

El estilo y el cuerpo de la persona determinan el largo del primer corte, y éste, en cierto sentido, condiciona el largo de todos los demás.

Ya sea que todos los cabellos vayan del mismo largo o que haya una variación gradual de su tamaño, un tijeretazo y el de junto se deben dar con una perfección notable, de modo que todos los mechones queden parejos, unidos, uniformes y no cada uno con largos ligeramente diferentes, que dan la apariencia no del corte de un buen estilista, sino del pelo de un burro tierno.

LAS GUÍAS

Para lograr que el corte de un mechón quede del mismo largo que el de junto, de modo que ambos tengan un terminado parejo y caigan uniformemente y de manera natural, los estilistas utilizan guías.

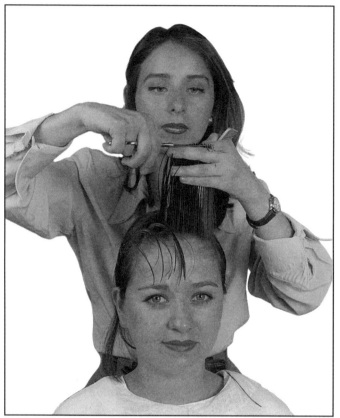

Hay dos guías principales. Una es la mano guía, cuya posición nos debe aproximar, con bastante certidumbre, al largo necesario, colocando los dedos espaciadores con la separación correcta y uniforme al tomar cada mechón y cortar.

La otra guía es el largo del pelo cortado con anterioridad.

Mechón cortado   **Segundo mechón**

Línea de corte

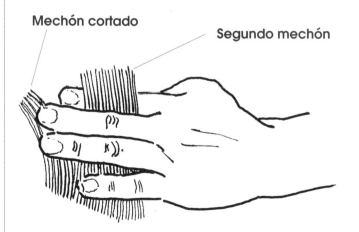

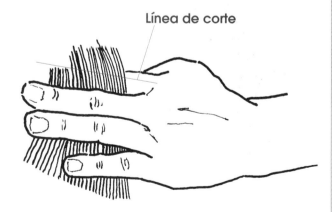

Después de hacer el primer corte, se toma el segundo mechón, el de al lado, pero al mismo tiempo se toma un poco de pelo del mechón ya cortado, como medio centímetro, de manera que al peinar el mechón se adviertan en la punta tanto el extremo del mechón sin cortar, como la punta de los pelos del mechón ya cortado, que nos servirán como una referencia muy precisa, como testigos, del largo exacto al que hay que hacer el nuevo corte.

PARTICIONES DE LA CABELLERA

Para facilitar el manejo del pelo y su corte se acostumbra separar la cabellera en cuatro, cinco, seis, siete u ocho particiones, según el corte que se vaya a hacer, el largo del pelo, el tamaño de la cabeza y la preferencia del estilista.

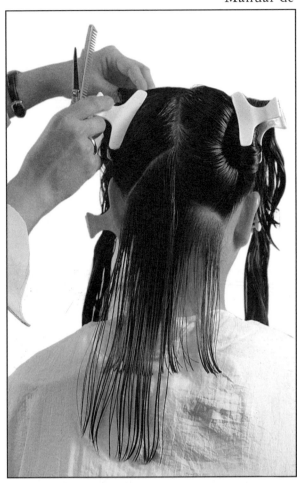

El pelo de cada partición se recoge y mantiene recogido mediante un clip, de modo que el estilista no se tiene que enfrentar a toda la melena de golpe, sino a pequeñas porciones de ella, con lo que es más fácil controlar la perfección con que se debe hacer cada uno de los cortes.

En la separación del cabello en cuatro partes la cabellera se separa por mitad de la frente a la nuca y luego en cuartas partes, de una oreja a otra, pasando por la parte superior de la cabeza.

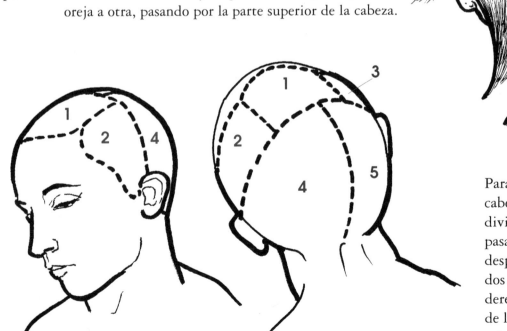

Para hacer la separación de la cabellera en cinco partes se divide de oreja a oreja, pasando por la coronilla, y después se subdivide en los dos laterales, izquierdo y derecho y, finalmente, el pelo de la nuca se abre en dos mitades, a partir de la coronilla hasta el cuello.

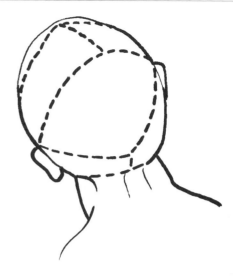

Algunas veces la partición en cinco asume otra configuración, pues el frente se divide en un triángulo desde la coronilla hasta las sienes.

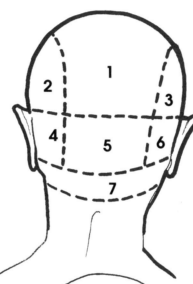

O bien, un triángulo que va de la punta de las orejas a la parte baja del hueso occipital o línea que divide la parte media de la nuca.

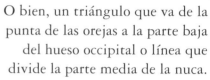

Al seccionar la cabellera en ocho particiones se hacen separaciones del pelo de la nuca baja, que se deja suelto, el pelo de la nuca media y alta, que se separa y retiene con un clip, el pelo de los laterales arriba y abajo de la parte media de la oreja, y la frente.

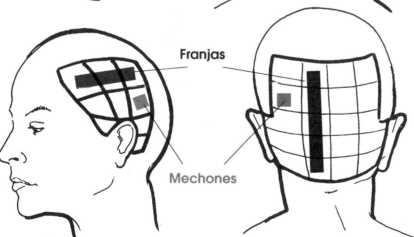

Franjas

Mechones

Dentro de cada partición los estilistas hacen divisiones imaginarias todavía más pequeñas, en secciones o franjas de 2 cm a 2.5 cm de ancho cada una, que se irán cortando a lo largo, de manera metódica, en mechones contiguos de 2 a 2.5 cm de largo, moviéndose sistemáticamente para realizar un corte perfecto en poco tiempo, pues cuanto más pequeños sean los mechones, las franjas y las particiones, se puede lograr una mayor precisión en cada corte y en el conjunto de ellos.

REBAJADO

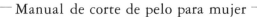

El rebajado se comienza al tomar un mechón de un par de centímetros de la primera franja que se vaya a cortar.

Luego se corta el siguiente mechón de esa franja imaginaria, tomando como referencia un poco del pelo cortado del primer mechón, de manera que la tijera corte el cabello del mismo largo que el de junto. El peinado de cada mechón y su corte se hacen **siempre en el mismo sentido, perpendicular al sentido de la sección.**

Al peinar el cabello del mechón que se va a cortar, se toma también un poco del que ya ha sido cortado, que sirve como guía visual para determinar el largo exacto del corte. Lo importante es no cortar los cabellos guía.

Este proceso de contrastar el largo del cabello sin cortar contra el largo del cabello de junto, ya cortado, se conoce como transparencia.

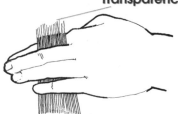

Transparencia

Al cortar, es importante tomar el mechón con la mano guía correctamente, del tamaño preciso y con la tensión adecuada.

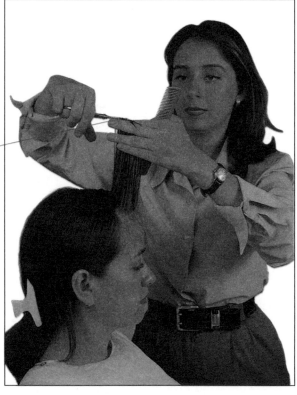

Así se continúa cuidadosamente, cortando mechón por mechón de cada franja, para que el **corte salga parejo y la superposición sea la correcta.**

El cortar el cabello en secciones tiene la ventaja de que se trabaja justo junto a otra franja que ya ha sido cortada, y es ese cabello cortado el que le sirve como guía, pues todos los cortes deben ir unidos.

Si una parte del mechón tiene la tensión correcta, pero otra está floja, al final el cabello de la parte con la tensión incorrecta quedará más largo que el que tenía la tensión correcta.

Si el mechón es demasiado grande, una parte del cabello saldrá del cuero cabelludo perfectamente perpendicular, pero el pelo de los extremos tendrá un pequeño ángulo de inclinación y, por tanto, el cabello del centro del mechón quedará más corto que el de los lados, produciéndose una especie de comba.

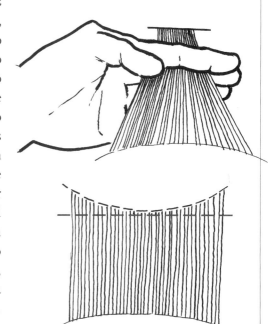

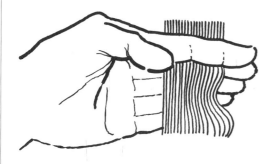

RECTIFICADO

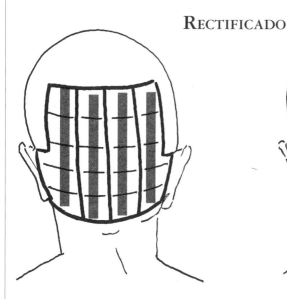

Franjas de corte para el rebajado

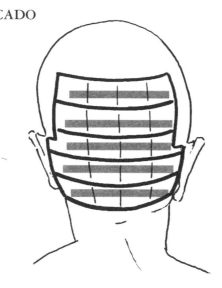

Franjas de corte para el rectificado

El rectificado se hace para corregir las pequeñas diferencias en el tamaño del cabello que pudieran haber quedado al término del rebajado. Para ello, se suponen franjas imaginarias en sentido perpendicular a aquellas con las que se hizo el rebajado, de manera que también el corte de los mechones se hace en sentido perpendicular a como se cortaron los mechones para el rebajado.

Al peinar y tomar el mechón de cabello con la mano guía sobresaldrán, aunque no siempre, unas puntas ligeramente más largas, que son las que se emparejan o rectifican, para que todos los cabellos contiguos tengan un largo semejante, siguiendo siempre una línea de corte imaginaria.

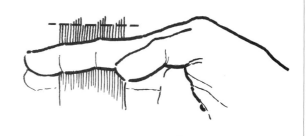

CONTORNEADO

El contorneado puede hacerse como el primer paso y, en ocasiones, como el único del corte del pelo. En otros casos se realiza después del rebajado, en cuyo caso todo lo que se necesita es un corte mínimo de las puntas, para que las orillas del cabello ya rebajado tengan una buena forma.

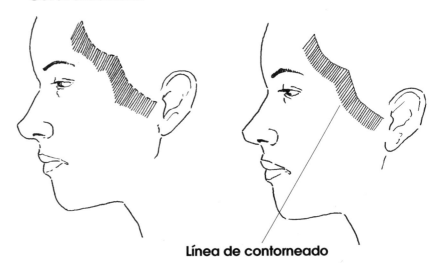

Línea de contorneado

El contorno puede asumir diversos perfiles al frente, a los lados y atrás.

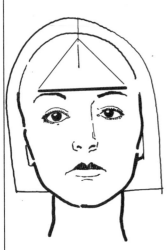

Adelante puede ir sobre la frente con un corte recto sobre las cejas...

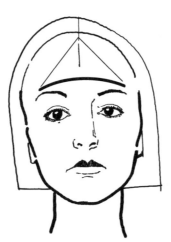

...como un arco ligeramente invertido...

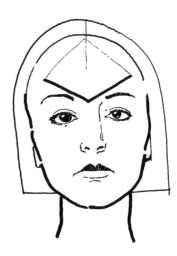

...o en un corte en V, con el punto central sobre el nacimiento de la nariz.

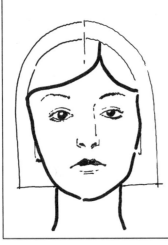

Si se tiene una raya de lado puede ir en un fleco asimétrico, en dos partes sobre las sienes, una más grande que otra. otra.

O bien, puede ir sobre la frente pero no recto, sino en mechones puntiagudos.

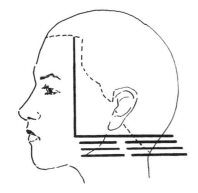

A los lados puede ir recto, de diversos largos...

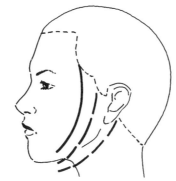

...o ligeramente hacia adelante en una curva como C invertida, que comienza en la sien y termina a la altura de la mandíbula, antes del mentón.

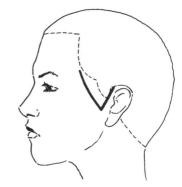

Una posibilidad más es que se extienda y cuelgue en un ángulo, como patilla...

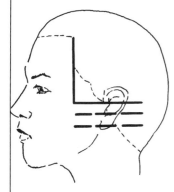

...o en escuadra, a la altura del oído medio o más abajo, hasta el lóbulo.

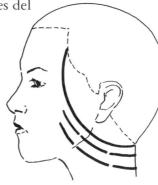

Otro más es curvo, como una C que nace en la sien y termina en la nuca, ya sea corto o largo.

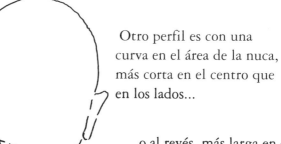

En la parte de atrás una posibilidad es que el contorno sea recto, con un largo igual al de los lados.

Otro perfil es con una curva en el área de la nuca, más corta en el centro que en los lados...

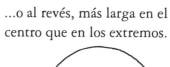

...o al revés, más larga en el centro que en los extremos.

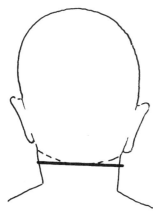

Un contorno trasero más es en forma de V en la nuca, muy apropiado para los estilos cortos.

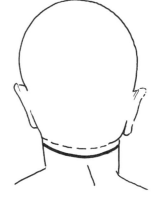

Otro contorno es la V al revés, con la punta hacia arriba, también apropiado en las melenas cortas.

El contorno se corta después de haber humedecido y peinado el cabello para que no esté enredado y caiga lacio sobre la piel. Para cortarlo, tome una franja de dos centímetros de ancho, deslice los dedos índice y cordial hasta la altura donde quiera hacer el corte y córtelo, en línea recta, mediante pequeños tijeretazos dados sólo con las puntas de las tijeras.

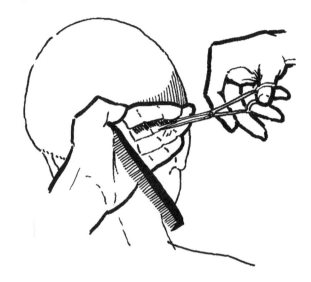

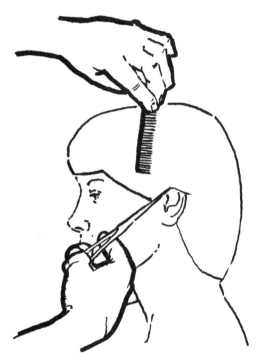

Dé cinco o seis tijeretazos y luego peine. Tome otros dos centímetros del pelo de junto y, tomando como guía el pelo antes cortado, corte, cuidando de no llevarse también el pelo guía. Así, continúe lentamente extendiendo el contorno. No se apresure. Respire profundo antes de cortar cada mechón y hágase para atrás con frecuencia, para observar el contorno desde una perspectiva más lejana.

Una vez que termine un lado, revise el cabello y corrija solamente lo que se necesite. No corte el cabello más corto de lo que haya planeado.

El contorno del fleco puede ir recto, más corto al centro o más corto a los lados. Peine el pelo para que caiga lacio sobre la frente, divida el fleco en dos y aparte una mitad.

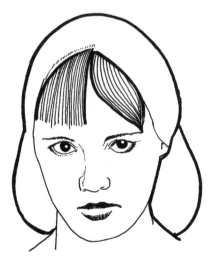

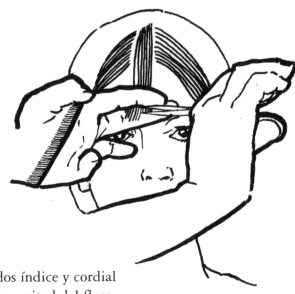

Tome dos centímetros del centro entre sus dedos índice y cordial y corte. Luego continúe cortando esa mitad del fleco.

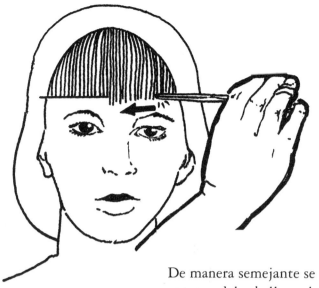

Al terminar la primera mitad junte la otra sin cortar, y en la dirección contraria a partir del centro continúe cortando el fleco hasta terminar.

De manera semejante se corta el contorno del cabello en los lados, cuidando que el pelo de ambos quede del mismo largo, para lo cual se toma como referencia las orejas o el cuello.

El contorneado normalmente requiere de un delineado final que se hace después del rectificado.

Otra manera de cortar el contorno es sin la ayuda de los dedos de la mano guía, simplemente peinando el pelo de modo que caiga sobre la piel, para luego, con la hoja de punta roma de la tijera deslizada sobre la piel, atrás del cabello, cerrar la otra hoja de manera estable, para hacer el corte.

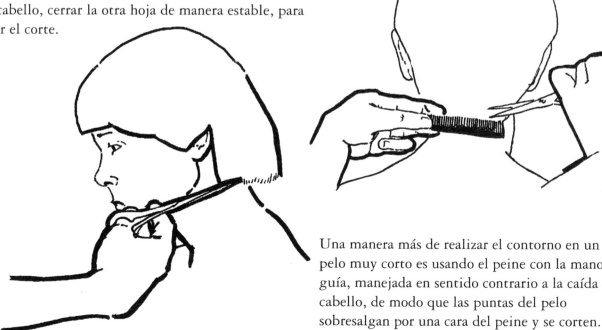

Una manera más de realizar el contorno en un pelo muy corto es usando el peine con la mano guía, manejada en sentido contrario a la caída del cabello, de modo que las puntas del pelo sobresalgan por una cara del peine y se corten.

ENTRESACADO

La finalidad de entresacar es remover el exceso de pelo que hace bulto, de manera que la cantidad de cabellos largos que quedan sea más manejable.

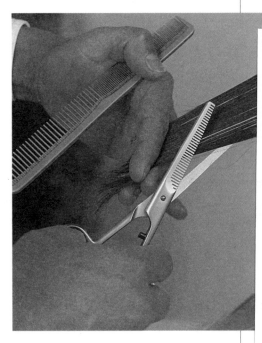

La textura del cabello determina qué tan cerca del cuero cabelludo se puede hacer el entresacado. En general el cabello delgado, más suave y dócil, se puede cortar más cerca de la raíz. En cambio, el cabello grueso se debe entresacar más lejos de la raíz, pues de otro modo las puntas cortas y rebeldes saldrán como espinas por encima de los cabellos largos.

El entresacado es muy fácil de realizar si se usan las tijeras especiales para entresacar. El procedimiento de corte es el mismo que para rebajar, cuidando de no entresacar en los lados encima de las orejas, en la base del cuello ni alrededor de la línea de la cara.

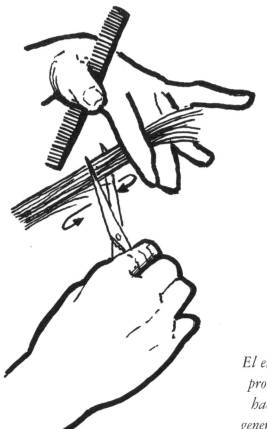

Con las tijeras normales también es posible entresacar, aunque resulta mucho más laborioso. Para ello se toman pequeños mechones de pelo que se sostienen rectos a 90°, sin soltarlos, con la mano guía. Se colocan las tijeras y se deslizan desde la punta del mechón hacia el cuero cabelludo y al revés, cerrándolas ligeramente mientras se mueven, de modo que solamente cortan o entresacan un poco del pelo del mechón en distintos puntos.

El entresacado, según algunos estilistas, generalmente acarrea más problemas que ventajas, pues con el pelo entresacado no se pueden hacer cortes exactos, además de que después de rebajar el cabello generalmente se vuelve rebelde, pues las puntas van creciendo, hacen más bulto y son difíciles de manejar.

CORTE A LA NAVAJA

El corte a la navaja se hace de manera semejante a como se rebaja el pelo con tijeras, es decir, peinando un mechón que luego se sostiene en su línea de corte entre el dedo índice y el cordial y se corta con la navaja.

EL PROCESO GENERAL DEL CORTE DE PELO

El corte de pelo se inicia al recibir a la clienta amablemente, con una actitud a la vez amistosa y vital, para luego preguntarle el trabajo que desea para su pelo, y de manera flexible hacerle las sugerencias que se consideren pertinentes de acuerdo con su experiencia y la confianza que tenga con la clienta.

Al mismo tiempo se procede a la preparación de la clienta para los servicios, colocando la bata y el broche que protejan su **ropa de la eventual caída de los cabellos recortados.**

Si la clienta trae el pelo evidentemente limpio, entonces se procede sólo a humedecerlo completamente. La otra opción es sugerirle un shampoo, con lo que, además de que se asegura que el pelo esté limpio y no se maltraten sus herramientas, quedará húmedo, listo para el corte. Lo más probable es que durante el trabajo sea necesario rehumedecer el pelo varias veces, para mantenerlo siempre en condiciones de trabajarlo.

Hay algunos cortes que se hacen en seco y hay algunos estilistas *que prefieren trabajar con el pelo seco, en vez de húmedo. En ese caso, se evita usted el paso anterior.*

Una vez que tiene usted definido el estilo de corte que deberá hacer, se procede a seccionar la cabellera de la manera más conveniente.

A continuación se procede a rebajar el cabello, jalándolo y peinándolo en los ángulos y largos correctos para el estilo de corte que deba realizar, siempre con la referencia o guía de los mechones cortados anteriormente, para que todo quede uniforme.

Una vez terminado el rebajado se procede al rectificado, haciendo cortes cruzados. Es decir, si al rebajar, los cortes se han realizado con la tijera paralela a la línea de la frente, en el rectificado se corta transversalmente, con la tijera apuntando de la nariz a la nuca.

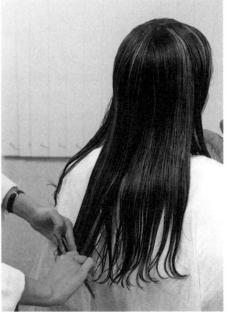

Una vez que ha terminado el rebajado se peina el cabello y se continúa con el contorneado.

Se rectifica el largo de la cabellera de ambos lados, se seca y cepilla el cabello para revisar qué tan bien quedó el corte, qué tan uniformes resultaron las capas o el degrafilado, qué tan perfecto quedó el contorno, para enseguida proceder a retocar las puntas, afinar el contorno y terminar el corte para mostrarlo a la clienta.

PREPARACIÓN PARA EL CORTE

Antes de proceder a cortar el pelo es necesario preparar a la clienta, protegiéndola para que no le caigan los cabellos cortados en su ropa o para que no se moje al humedecer el cabello o darle shampoo.

COLOCACIÓN DE LA BATA

Antes de preparar a la clienta, debe usted tener listos los materiales y los productos que vaya a necesitar para el servicio. Luego, lave y desinfecte sus manos.

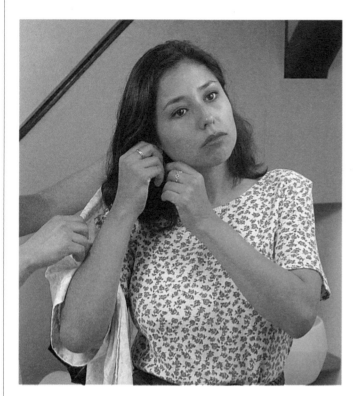

Enseguida, pida a la clienta que retire sus joyas del cabello, orejas y cuello y que las guarde. Si hay algún otro objeto en el cabello, retírelo, y después voltee hacia adentro el cuello de la ropa de la clienta.

Si el servicio que se va a hacer es únicamente el corte del cabello, coloque una tira protectora o unos pañuelos desechables alrededor del cuello de la clienta, y encima ajuste y abroche la bata o peinador, sin cubrir completamente la tira o los pañuelos, que se doblan hacia afuera, de manera que la bata o peinador no toque la piel de la clienta.

Si el servicio va a comenzar por el lavado del cabello, entonces se sienta a la clienta en la silla del lavabo para cabello, se le coloca una toalla sobre los hombros y el cuello, cruzando los extremos enfrente, abajo de la barbilla.

Encima se coloca la bata o peinador ahulado o de plástico y se ajusta y cierra, de manera que sobresalga una parte de la toalla, que a continuación se dobla hacia afuera, para que la bata no toque la piel de la clienta.

Luego, se coloca otra toalla sobre la capa y se asegura con un broche al frente.

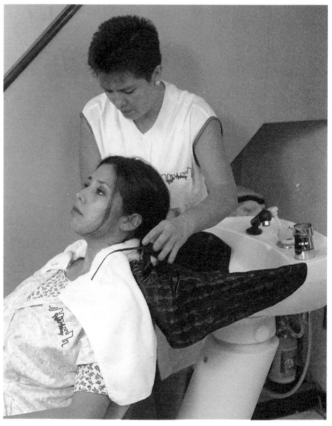

Una vez terminado el lavado del cabello, se debe quitar la toalla y sustituir por una tira protectora o por unos pañuelos desechables, para que el cabello caiga libremente, sin ningún obstáculo.

LAVADO DEL CABELLO

Si va a hacer lavado del cabello, comience por cepillarlo muy bien para que se desenrede, se elimine el cabello suelto, se quiten el polvo y los cosméticos y se estimule la circulación del cuero cabelludo.

Luego, el cuello de la clienta se recarga sobre el lavabo, de modo que su pelo suelto caiga dentro de él. Tomando en cuenta el gusto de la clienta, se ajusta la temperatura del agua en la regadera y se moja completamente el cabello, protegiendo con la otra mano la cara, los oídos y el cuello de la persona.

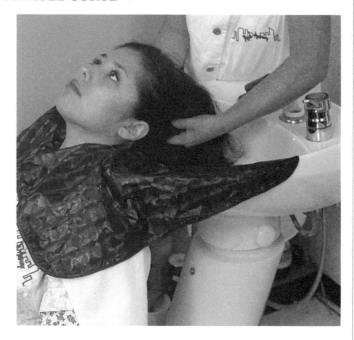

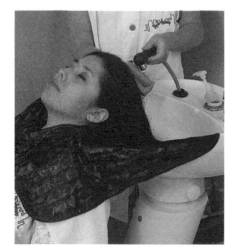

Para que el agua penetre bien en todo el pelo, mientras rocía con la regadera trabájelo con su mano desde el cuero cabelludo.

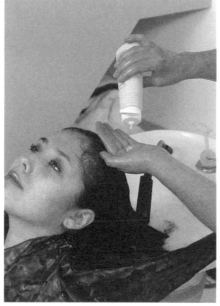

Enseguida aplique pequeñas cantidades de shampoo, desde la línea de crecimiento hacia atrás. Luego, levante suavemente la cabeza de la clienta y ponga shampoo en la nuca.

Comience de la frente hacia atrás y luego otra vez hacia enfrente, avanzando lentamente, primero en un lado, luego en el otro. Al llegar a la nuca levante suavemente la cabeza de la clienta. Luego, trabaje alrededor de la cara con sus dedos pulgares.

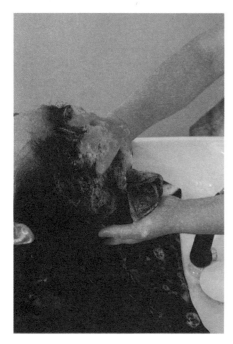

Después, con las yemas de los dedos de ambas manos, mueva suavemente el pelo hasta el cuero cabelludo para hacer y distribuir la espuma.

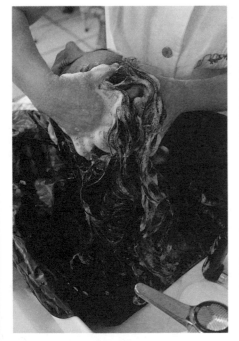

Enseguida, repita el proceso pero ahora de manera circular, en vez de hacia adelante y hacia atrás. Después de que la clienta haya recibido un buen masaje, retire el exceso de espuma exprimiendo ligeramente el cabello.

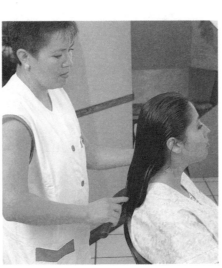

Al terminar, con la regadera y un chorro de agua abundante, enjuague el pelo comenzando por la línea de nacimiento del pelo hasta la nuca, de manera que todo caiga al lavabo. Levante el pelo hacia la coronilla para que el agua penetre bien en todo el cabello hasta el cuero cabelludo.

Si lo considera necesario, haga una segunda aplicación de shampoo y enjuague de nuevo completamente.

Con sus manos elimine del pelo el exceso de agua y con la punta de una toalla quite la humedad de la cara y los oídos. En seguida, coloque una toalla que cubra la cabeza de la clienta desde la espalda y absorba el grueso del agua, dándole, por encima, un ligero masaje con las yemas.

.

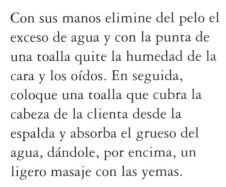

Luego, cepille el cabello, comenzando por la nuca, y peine.

Finalmente, retire la toalla; siente a la clienta en la silla para cortar el pelo y prepárela de nuevo.

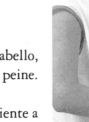

Retire los cabellos sueltos de los cepillos y peines, lávelos con jabón y desinféctelos. Desinfecte el lavabo para el cabello. Lave sus manos.

LOS SHAMPOOS

El cabello se lava generalmente con shampoo en vez de con jabón (como se hace con el cuerpo), debido a la acidez o alcalinidad del jabón. La acidez o lo contrario, la alcalinidad, se miden por el llamado pH. Un pH bajo indica un producto ácido, un pH alto es evidencia de un producto alcalino. Cuanto más alcalino sea el shampoo, será más agresivo para el cabello, dejándolo seco y quebradizo.

Salvo los jabones neutros, que tienen una acidez balanceada, los demás jabones tienden a ser alcalinos. En cambio, la mayoría de los shampoos son precisamente neutros o ligeramente ácidos, para evitar daños al cabello.

Generalmente los shampoos tienen, además del detergente, uno o dos agentes acondicionadores que ayudan a suavizar y hacer más brillante el cabello.

Otros shampoos tienen adicionalmente algunas sustancias especiales para reducir la caspa y otras afecciones del cuero cabelludo, y se conocen como shampoos medicados.

Algunas veces el acondicionador es un producto distinto del shampoo y se aplica después del lavado para proporcionar brillo y suavidad al cabello. Sin embargo, el uso continuo de los acondicionadores o enjuagues a la crema, que son cremosos y forman una finísima capa en cada cabello, puede causar problemas, pues la capa que lo cubre se va acumulando, de modo que habrá que lavarlo cada vez más frecuentemente, en un ciclo interminable.

CORTES BÁSICOS

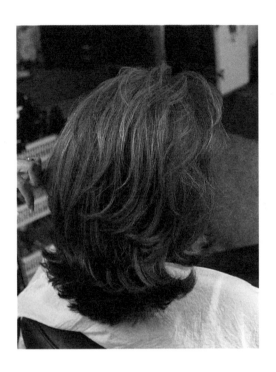

Hay dos géneros principales de corte, el *Bob*, en el cual el cabello cae naturalmente a los lados y lo único que se corta es el perfil o contorno, y el corte en capas, en que el pelo se levanta en diversos ángulos de su posición natural.

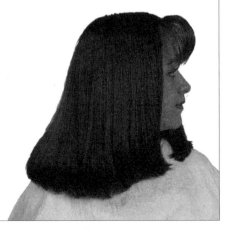

El corte en capas tiene dos formas básicas de realizarse. Una de ellas se conoce como el corte de un mismo largo y la otra como corte en capas largo.

En la primera, todo el cabello se corta a la misma longitud a partir del cuero cabelludo.

En la segunda, todo el cabello se levanta y se corta en una línea recta arriba de la coronilla.

Además de estas formas de corte que llamaremos básicas, **Bob,** *en capas de un mismo largo y en capas largo, hay otras más complejas, de algunas de las cuales hablaremos más adelante.*

Corte *Bob* o redondo

El *Bob* clásico es un corte relativamente fácil de realizar por un principiante, de un solo largo, excelente para el cabello lacio, que puede ir tan corto como al lóbulo de la oreja o la mandíbula y tan largo como al hombro, para que su caída no sea interrumpida por el mismo hombro.

Corte *Bob* al lóbulo

Corte *Bob* al hombro

Particiones

Algunas personas usan el *Bob* con raya de lado, no al centro. En ese caso, si la persona lo va a usar todo el tiempo así, se debe hacer una partición a ese lado, en vez de al centro.

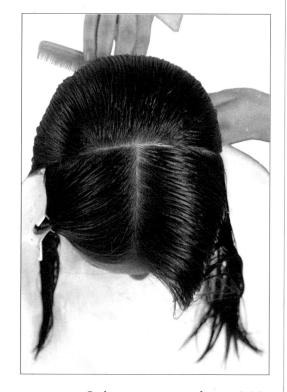

Se hace una segunda partición cruzando la cabeza de oreja a oreja.

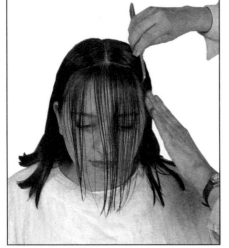

Si el pelo de los lados es muy denso, conviene hacer una partición adicional horizontal a la altura de los ojos.

Si el *Bob* ha de llevar fleco, entonces conviene formar una partición triangular que parta de la tercera parte de la cabeza hasta las sienes.

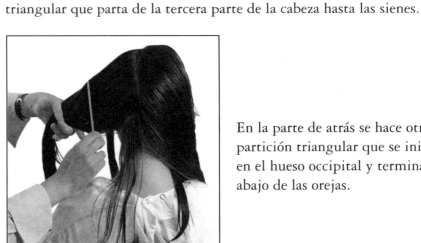

En la parte de atrás se hace otra partición triangular que se inicia en el hueso occipital y termina abajo de las orejas.

CONTORNEADO

CONTORNEADO DE ATRÁS

El cabello que queda abajo de ese triángulo se deja suelto y se peina hacia abajo.

Luego se divide en dos franjas horizontales. La franja superior se recoge, para trabajar con la de abajo.

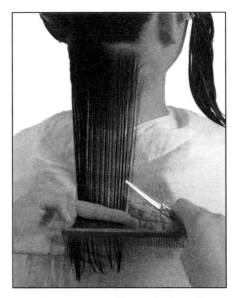

Se pide a la persona que indique el largo al que quiere el corte, y mientras usted se coloca detrás, se le solicita a la clienta que incline su cabeza hacia adelante, para que usted no tenga obstáculos al cortar la orilla.

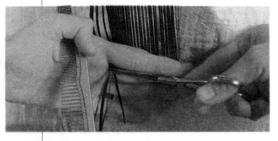

Ahora, deslice sus dedos hasta el punto donde quiera cortar y corte horizontalmente, con cinco o seis tijeretazos pequeños, dados con la punta de la tijera.

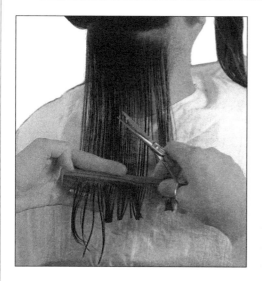

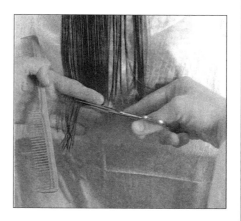

Luego deténgase y peine para tomar un nuevo mechón, junto con medio centímetro del cabello cortado anteriormente, que le servirá de guía para establecer el largo de este **establecer el largo de este segundo corte, pero tenga cuidado de no cortar esa guía.**

Ya que cortó con tijeretazos pequeños, deténgase, peine y retírese un poco para observar el corte. Si cree que está correcto, siga extendiendo lentamente el contorno desde el centro a los lados, retirándose con frecuencia para detectar mejor cualquier **pequeño error y corregirlo, sin cortar pelo de más.**

Una vez que termine, peine y vea si su contorno está perfectamente recto y verifique que los dos extremos del corte tengan el mismo largo. Si hay tramos "rabones", no trate de emparejarlos porque comenzará a dejar el cabello más corto de lo planeado. Sólo empareje aquello que esté más largo de lo previsto.

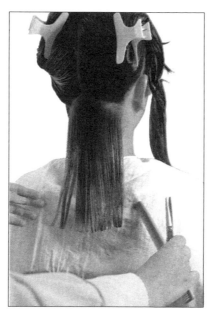

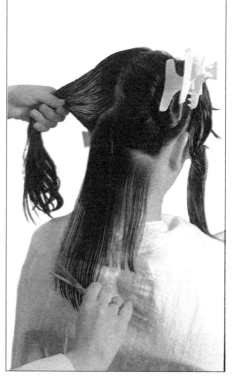

Enseguida, con un espejo muestre a su clienta la parte ya cortada para verificar que ése sea precisamente el largo que quiere. Si la persona lo desea todavía más corto, repita el proceso anterior, cortando al largo deseado.

Ahora, baje la otra franja de la parte de atrás y peine el cabello para desenredarlo. Pida a la persona que de nuevo incline la cabeza y, tomando como referencia el pelo de la franja anterior, corte los mechones de esta segunda ligeramente más largos, comenzando por el centro a la izquierda, tal como lo hizo anteriormente.

Las puntas de la franja superior, ligeramente más largas, se doblarán, naturalmente, hacia adentro.

CONTORNEADO DE LOS LADOS

Colóquese a la izquierda de la persona y, al tomar el primer mechón, deslice sus dedos hacia abajo, hasta un poco más abajo de la línea de corte, y corte el contorno hacia el lado izquierdo, con pequeños tijeretazos, tomando como referencia el cabello ya cortado de la parte de atrás.

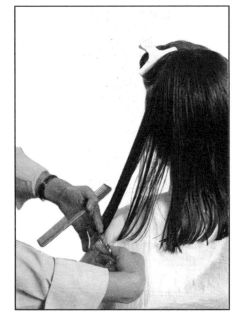

Para cortar el lado derecho colóquese de ese lado y divida el mechón en dos partes. Tome la parte de la izquierda, que queda junto al cabello ya cortado de la franja de atrás, y córtelo con pequeños tijeretazos. Enseguida, de manera semejante corte la otra parte del mechón lateral.

CONTORNEADO DEL FRENTE

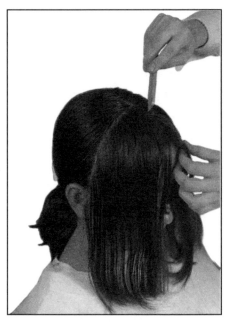

Para cortar el fleco párese frente a la persona, que deberá tener la cabeza levantada y recta, de modo que usted pueda reajustar y peinar el triángulo o franja de cabello que constituirá el fleco.

Generalmente el fleco se corta al nivel de las cejas o un poco más largo. Con ese criterio y la opinión de su clienta, determine el largo y divida el cabello peinado hacia abajo en dos mitades.

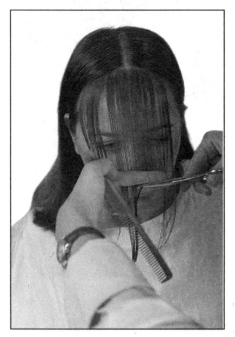

Comience por la mitad derecha, a partir del centro. Tome del centro un mechón de cabello de 2 cm y córtelo a una elevación de 0 grados.

Este mechón ya cortado servirá de guía para cortar el resto de los **cabellos del centro a la sien derecha; si el largo del fleco lo permite, puede apoyar la tijera sobre la piel de la clienta.**

Cuando termine la mitad del fleco, retírese un poco para verificar que la línea de corte esté recta. Para cortar el lado derecho, divídalo en dos mitades.

Corte la mitad del centro, la que queda contigua a la parte del fleco ya cortada, tomándola como guía para el largo. Luego, corte la otra mitad. Retírese y observe su trabajo.

RECTIFICADO

Ya que terminó de cortar, peine a la persona y revise todo el corte para detectar cualquier cabello disparejo en cualquiera de las franjas, pero no haga cortes innecesarios ni trate de hacer nuevas guías.

Si el cabello quedó disparejo en alguna parte, puede haberse debido a que al tomarlo entre sus dedos puso más tensión en unos mechones que en otros.

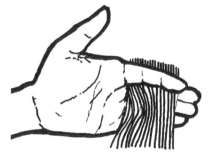

También puede ser que no haya tomado en cuenta correctamente las referencias de las guías de cabello.

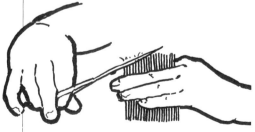

Una falla más puede ocurrir al no colocar las tijeras completamente horizontales mientras se hace el corte. También puede haber ocurrido que el cabello no se haya cortado siempre con una elevación de 0 grados.

Si el contorno tiene partes más largas, corríjalas. Si hay alguna parte, algún mechón un centímetro más corto que el resto, deberá repetir el contorno ajustándolo a ese largo. Si la variación hacia lo corto es de menos de un centímetro, más vale que lo deje así. La próxima vez le saldrá mejor.

CORTE A UN LARGO PAREJO

Las cabelleras cortas dan a las mujeres un aire de modernidad, a la vez que son francamente cómodas. Para que un principiante se familiarice con los diversos procesos de corte, el corte a un largo parejo es una buena iniciación.

De todos los cortes en capas, el corte del cabello a un largo uniforme es el más fácil de aprender, fácil de cuidar y el favorito de muchas mujeres de todas la edades, además de ser un corte clásico en los hombres.

Solamente se necesita jalar el cabello perpendicularmente al cuero cabelludo y cortarlo del mismo largo en toda la melena, para que quede un corte básico con el que el pelo cae siempre superpuesto y se mantiene bien arreglado con un cuidado mínimo.

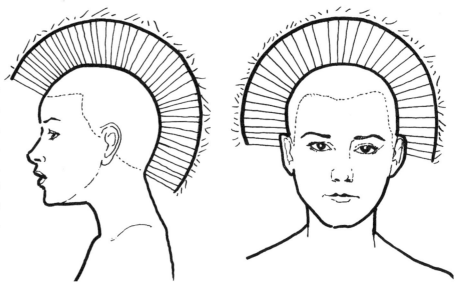

Este corte con un largo uniforme se puede hacer de largos diferentes, desde unos tres centímetros si se tienen cabellos delgados y ondulados, hasta diez o doce centímetros, aunque este último largo no se recomienda para los principiantes, que pueden comenzar con un largo de 5 a 8 cm.

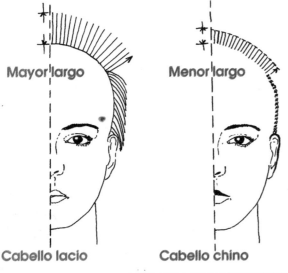

Mayor largo

Menor largo

Cabello lacio

Cabello chino

Debido a las características del cabello, como su grueso y su textura, y a la forma de la cabeza, este corte de pelo de un solo largo tiene una apariencia diferente en cada persona, diferencia acentuada porque el corte del pelo es una habilidad manual que siempre varía de una creación a otra.

Este corte, como otros, se lleva a cabo en cinco pasos que son: rebajado, rectificado, contorneado, refinado del contorno y retocado general.

Partición superior

REBAJADO

Para lograr que desde el primero hasta el último pelo de la cabellera queden del mismo tamaño, es necesario trabajar en una secuencia sistemática, separando el cabello en **particiones**, las particiones en **franjas** y las franjas en **mechones**.

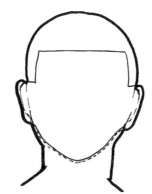

Partición de la nuca

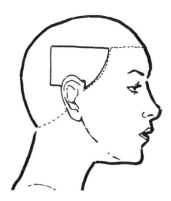

Partición lateral derecha

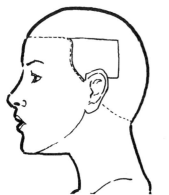

Partición lateral izquierda

En este caso, se empieza por la partición de la parte superior de la cabeza, se sigue con la partición lateral derecha, luego la de atrás o partición de la nuca, para terminar en la partición lateral izquierda. izquierda.

Cada partición se divide, a su vez, en varias franjas o rutas.

Así, la partición de la parte superior de la cabeza se divide en cinco franjas o rutas de corte. La primera franja es la de en medio; la segunda, la del lado derecho, y la tercera, la del lado izquierdo. La cuarta franja va paralela a la segunda, pero en la parte de atrás gira y toca la parte final de las franjas uno, dos y tres, en tanto que la quinta franja corre paralela a la tres.

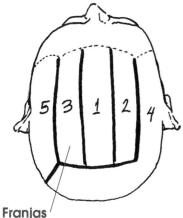

Franjas

Cada franja se divide a su vez en mechones de aproximadamente 2 a 2.5 cm cada uno; las tres primeras franjas en cuatro mechones cada una; la cuarta, en ocho mechones, y la quinta, en cuatro.

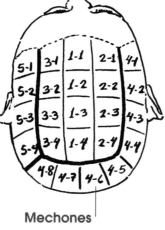

Mechones

Sin embargo, tanto el número de franjas como el de mechones es variable según el tamaño de la cabeza, pues en una niña serán menos y en una persona adulta, con cabeza grande, serán más. Lo importante no es el número, sino seguir una secuencia de particiones, franjas y mechones dentro de cada franja.

Primero se cortarán los mechones de la franja uno, luego los de la dos y después los de la tres. La secuencia de corte de cada mechón se indica en el dibujo. Con un sistema así usted siempre sabrá dónde está, en dónde ha estado y a dónde irá.

Cada mechón se peina en contra de su nacimiento y se coloca perpendicularmente al cuero cabelludo, sacándolo de su posición natural.

Cuando se corta en franjas vecinas, lo cual ocurre en el 90% de la cabellera, se tiene la ayuda de las guías del cabello contiguo, que le indican el largo preciso al que ya cortó el otro mechón.

PARTICIÓN SUPERIOR

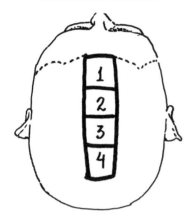

El corte de la partición superior se comienza por la franja uno, empezando en la línea de nacimiento del pelo, en la frente, hacia la coronilla. Para cortarlo colóquese usted atrás de la persona, luego, moje el cabello y péinelo hacia adelante, hacia los lados y hacia atrás.

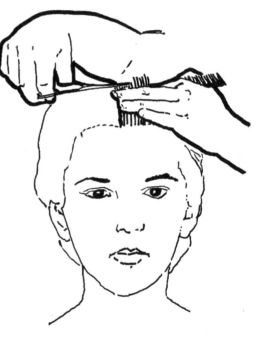

Levante el primer mechón en dirección contraria a como lo peinó. No tome demasiado cabello. Si la cabeza es muy grande o la cabellera muy abundante, conviene que la divida en más mechones o en más franjas, en vez de que corte mechones muy grandes.

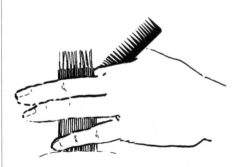

Al peinar y levantar el segundo mechón, se toman unos cuantos cabellos ya cortados en el primero, para que sirvan, por transparencia, como referencia al cortar el segundo, cuidando de no cortarlos más.

Una vez que termine de cortar todos los mechones de la primera franja, vuelva a peinar hacia adelante y repita la acción, para ver si todo está cortado del mismo largo. Puede ser que en esta segunda pasada no corte ni un pelo, pero quedará seguro de que esa franja tiene el tamaño correcto en toda su longitud.

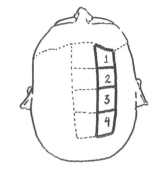

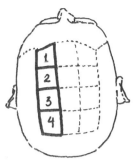

Para cortar los mechones de la segunda y tercera franjas dispondrá de la referencia del pelo cortado en la primera. Al peinar los mechones de esta franja tome un cm de cabello de la primera como guía del largo, pero cuídese de no cortarlo más.

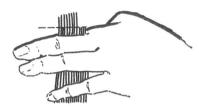

La cuarta franja es la más larga de todas. Además del largo, esta franja tiene la dificultad de que allí la cabeza está más curva. En las tres franjas anteriores la cabeza estaba más o menos plana, pero ahora se trabaja en una superficie más bien curva, en la que no es tan preciso apoyar la mano guía.

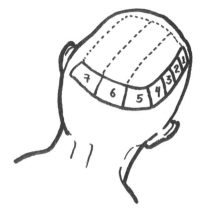

Es posible que en esta cuarta franja el pelo le quede un poco más largo de lo que debiera. Para corregirlo se hace un corte adicional entre las franjas 2 y 4 que, además, le sirven como guía para saber lo que se necesita eliminar.

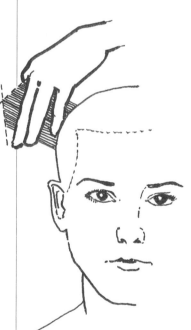

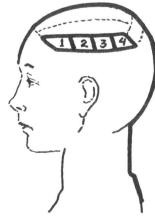

Para cortar esta quinta franja conviene que se coloque usted al frente, ligeramente a la izquierda.

PARTICIÓN LATERAL DERECHA

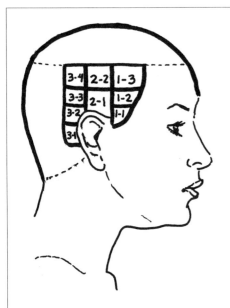

Esta partición se ha dividido en tres franjas con dos, tres y cuatro mechones cada una.

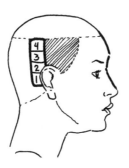

Primera franja

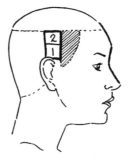

Segunda franja

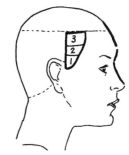

Tercera franja

En la primera franja peine el cabello hacia abajo y hacia los lados. Normalmente basta cortar dos o tres mechones, comenzando por el de más abajo, que tiene menos pelo, hasta alcanzar el ya cortado de la partición superior. Una vez que lo haya cortado vuelva a revisarlo para estar seguro de que lo cortó parejo. Luego, prosiga con las demás franjas.

La segunda y tercera franjas tienen el problema de que están situadas encima y a un lado de la oreja, con la que hay que tener cuidado al peinar y al cortar. La tercera franja tiene la dificultad adicional de estar en una de las partes más curvas de la cabeza.

PARTICIÓN DE LA NUCA

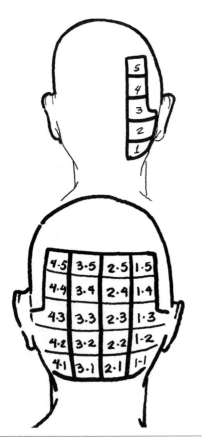

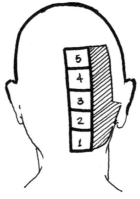

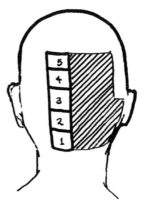

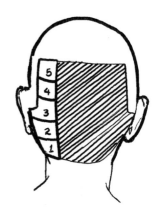

La nuca se ha dividido en cuatro franjas. Se comienza por la del extremo derecho, en la parte de la nuca baja, donde no se dispone de cabello guía para determinar el tamaño, por lo que se debe usar la referencia de la mano guía.

Para el corte de los mechones de las siguientes franjas se dispone de la guía de los cabellos de junto.

Partición lateral izquierda

Esta partición lateral izquierda se corta de manera semejante a la del lado derecho, dando dos pasadas en la primera franja.

RECTIFICADO

El corte para rectificar se hace del mismo largo que el corte de rebajado, sólo que los mechones se toman y cortan, sistemáticamente, en franjas con una dirección diferente, para que se hagan más evidentes las pequeñas discrepancias en su tamaño y se puedan corregir con la tijera.

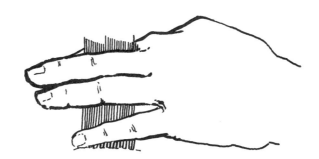

Las discrepancias en el largo de los cabellos se deben a diversos errores en el rebajado, como el haber jalado con demasiada fuerza algunos mechones o algunas franjas, o no haber seguido con precisión las guías del cabello ya cortado.

Las fallas también pueden obedecer a que algunas franjas eran más anchas o tenían más cabello que otras, a que se colocó la mano guía en el ángulo inapropiado, o bien, a que algunos mechones se levantaron en el ángulo incorrecto.

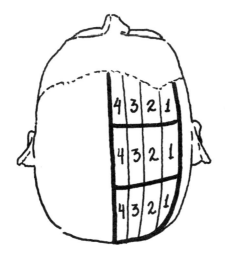

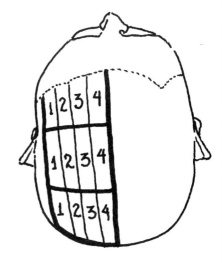

Para hacer la rectificación, la partición superior de la cabeza se divide en dos mitades, con tres franjas cada una, que empiezan en la frente y terminan en la coronilla. Usualmente sólo se cortan las diferencias en el largo del cabello de más de tres centímetros.

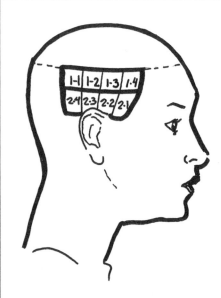

La partición lateral derecha se divide en dos franjas horizontales con cuatro o cinco mechones.

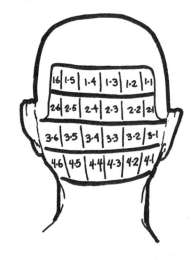

En tanto que la nuca se suele dividir en tres a cinco franjas horizontales.

La partición lateral izquierda se rectifica en dos franjas horizontales, que se cortan una en un sentido y otra en el contrario.

CONTORNEADO

Al igual que en el rectificado, en el contorneado se corta muy poco cabello, procurando que todo el contorno quede a la misma distancia de la línea de nacimiento del cabello.

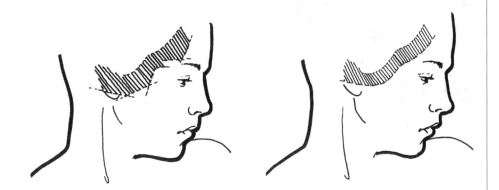

Algunos estilistas recomiendan que este corte a un mismo largo se comience precisamente delineando el contorno, antes de iniciar el rebajado, y al final solamente se refine todo el perfil. Usted escoja el camino que más le acomode.

RETOQUE

Finalmente, se seca y peina el pelo para hacer una revisión y rectificado de aquellas puntas que sobresalgan con el cabello ya seco.

CORTE EN CAPAS LARGO

Éste es un corte para dar cuerpo y elasticidad al cabello lacio, ondulado o rizado. Es ideal para quienes disfrutan el cabello ondulado y suelto alrededor de la cara, pero que no quieren perder su cabello largo atrás.

Se comienza por cortar el rebajado de las capas, que se hace de manera ligeramente diferente a como se indicó al tratar el cabello a un largo parejo.

En el corte a un mismo largo, todo lo que tiene que hacer la mano guía es colocarse apoyada siempre en la misma posición alrededor de la cabeza, mientras se corta el cabello al mismo largo en toda la cabellera.

Con el corte en capas largo, la mano guía sigue funcionando como una ayuda para establecer el largo, pero la mayor parte del tiempo no se apoya en la cabeza.

En el corte a un largo parejo todos los mechones se levantan a 90 grados, en tanto que en el corte en capas largo, la mayor parte de los mechones son levantado a 180 grados.

La secuencia de cortes, en cambio, es bastante parecida a la del cabello de un largo parejo, pero el delineado no va a seguir el perfil del nacimiento del cabello, sino que quedará, finalmente, siguiendo el perímetro del rebajado.

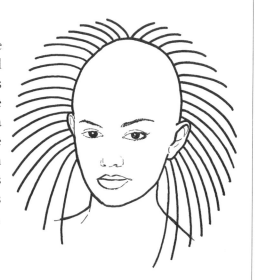

En un corte largo en capas, el cabello más corto se encuentra en la parte superior de la cabeza, en tanto que el más largo estará a los lados y atrás.

LÍNEA DE CORTE

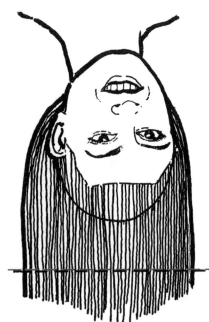

Este corte sería muy fácil de hacer si la persona pudiera colgar completamente vertical, con su cabeza hacia abajo. En ese caso, todo lo que tendría que hacerse sería peinar el cabello hacia abajo, y mientras la gravedad lo mantiene así, cortarlo horizontalmente en línea recta en todo el borde inferior.

— — — — — — — —
Línea de corte

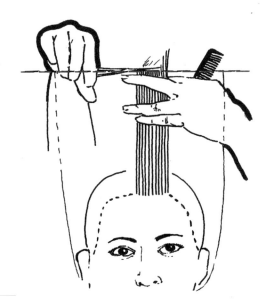

Pero como será difícil que la clienta se deje colgar de los pies, usted tendrá que cortarlo, con un poco más de dificultad, mientras ella permanece cómodamente sentada. Lo que usted tiene que hacer es imaginar esa raya horizontal.

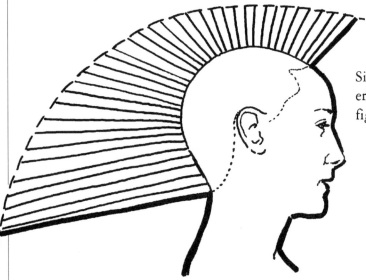

Si a una persona con ese corte se le pudiera erizar todo el pelo a 90 grados, tendríamos una figura como ésta.

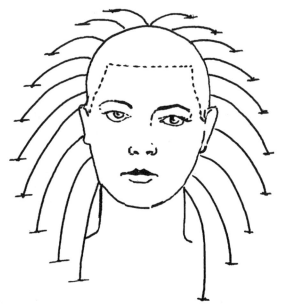

Pero como tampoco se lo podemos erizar, entonces el pelo con ese corte cae naturalmente a los lados de la cabeza, sólo que en la parte de arriba tiene unos 8 cm de largo, en tanto que a los lados y atrás quedaría gradualmente más largo; por ejemplo, en los lados cerca de la coronilla tendría 10 cm, más abajo llegaría a 12 cm, cerca de la oreja tendría ya unos 15 cm, 18 cm en la nuca media y 20 cm en la nuca baja.

CORTE DE LA PARTE SUPERIOR

En la partición de la parte superior de la cabeza se forman tres franjas, cuyos mechones se cortan con el costado de la mano guía apoyado en el cuero cabelludo, para que la mecha tenga un largo aproximado de 8 a 10 cm.

Aquí el corte no debe seguir la forma de la cabeza, sino ir recto, atravesado, siguiendo la línea de corte horizontal.

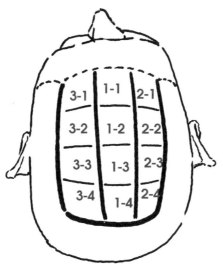

Para hacer este corte conviene pararse atrás de la persona, peinar hacia el frente y luego levantar el mechón para cortarlo.

Al cortar el segundo mechón se toma un poco del cabello ya cortado, para que las puntas de esos pelos, al verlos como transparencia, sirvan como guía exacta del largo al que hay que cortar cada mechón de la franja.

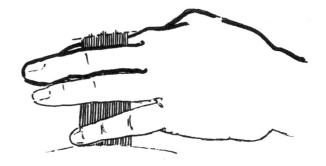

Cuando termine de cortar esa franja, peine de nuevo hacia el frente y repase el corte, para asegurarse de que todo está correctamente cortado, pero no quite cabello de más.

Al cortar la segunda y la tercera franjas siga la línea recta que se estableció al cortar la primera. Al cortar cada uno de los mechones de la segunda franja, se debe incluir un poco del cabello ya cortado de la primera, de modo que funcione como una referencia del tamaño preciso al que hay que cortarlos.

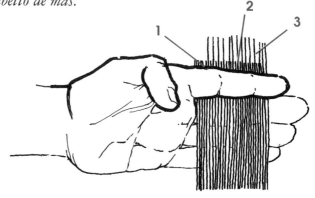

1 Mechón de franja lateral
2 Mechón cortado de la franja
3 Mechón por cortar

CORTE DE LOS LADOS Y ATRÁS

En el corte con un largo parejo, explicado anteriormente, cada franja de los lados y atrás estaba dividida entre dos y seis mechones. Con el corte largo en capas se sigue la misma secuencia en franjas, pero en lugar de dos a seis mechones en cada una, se peina todo el cabello de la sección, se eleva hasta la parte superior y se despunta de un solo tijeretazo. Es más, cuanto más cabello pueda peinar hacia arriba y cortar de un golpe, es mejor.

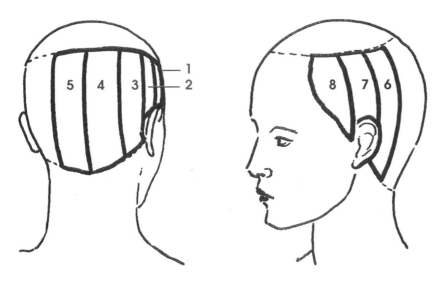

Particiones laterales

Al peinar cada una de las franjas de los lados y atrás, es necesario tomar también un poco del cabello ya cortado del borde de la parte superior, que sirve como guía para establecer el largo exacto de cada corte.

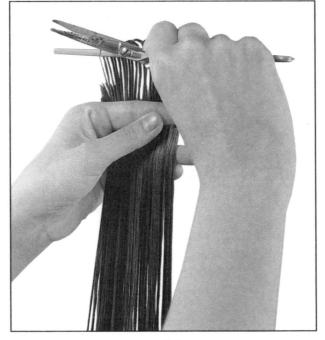

Para tomar las guías de cabello hay que peinar cuidadosamente y tomar ese cabello entre el índice y el cordial. Ya que las tiene entre sus dedos, deslice su mano guía hacia arriba, en forma recta, hasta que las guías sobresalgan 2 mm. Allí deténgase, acerque sus **ojos y verifique que los dedos estén paralelos a la línea de corte recta.** Corte los cabellos que sobresalgan de la guía, sin llegar a cortar ésta.

Si al peinar toda una franja junto con los **cabellos guía no los alcanza a ver, porque** están ocultos o confundidos con el cabello más largo que se dobla sobre las guías, entonces peine con los dientes apuntando en dirección contraria a usted, pues de ese modo, los cabellos guía serán más evidentes.

Es posible que una parte del cabello que levante no tenga el largo suficiente para alcanzar la línea en donde debe cortar. No importa. No se preocupe. Déjelos caer y solamente corte aquellos con largo suficiente.

Después de que ha cortado la primera franja, en las siguientes peine de manera que se incluya una parte del cabello de la franja de junto ya peinada, y también una parte del cabello de la sección superior. De ese modo tendrá usted la ayuda extra de dos referencias para hacer el corte en el lugar exacto.

Recuerde que el número de franjas a los lados y atrás depende tanto del tamaño de la cabeza como del tamaño de su mano, según sea capaz de tomar más o menos cabello.

RECTIFICADO

En los lugares donde se une la parte superior con la de atrás y la de los lados, es posible que queden cabellos con largos ligeramente diferentes. Para rectificar esas discrepancias, se toman unos mechones tras otros en franjas transversales a las que tomó para rebajar.

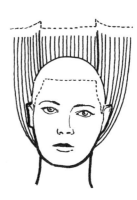

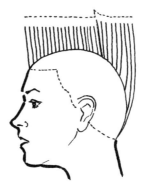

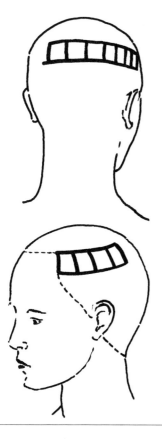

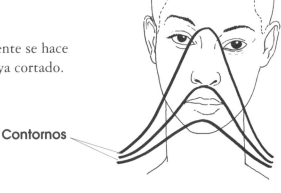

CONTORNEADO

En el corte largo en capas el afinado del contorno generalmente se hace siguiendo el delineado inicial y la caída natural del cabello ya cortado.

Contornos

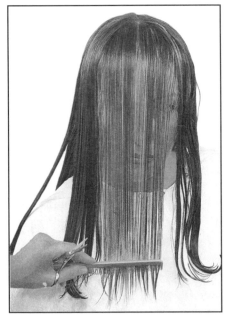

Para afinarlo simplemente se humedece el cabello, se peina, se jala un poco, siempre con la misma presión, y se cortan sólo las puntas sobresalientes, con tijeretazos cortos, dados solamente con la punta de la tijera, cortando el mínimo de cabello, siguiendo la línea natural del cabello cortado en capas.

Se comienza en la cara, en la parte superior, y se avanza hacia la derecha de la clienta, hasta el cuello, para seguir con la parte de atrás de la cabeza.

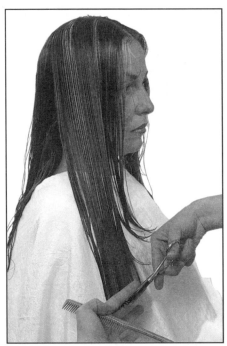

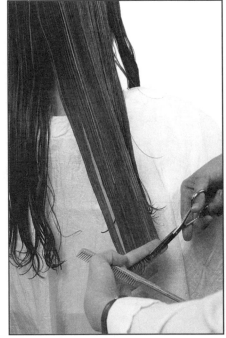

Enseguida, se regresa a la cara y se afina el contorno del lado izquierdo, cuidando que coincida plenamente con la línea y largo del derecho.

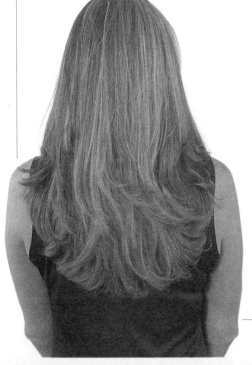

Al final, cuando el cabello se encuentra ya en su posición natural, si en algún punto el largo del cabello en el contorno de un lado es un poquito mayor que en el otro, simplemente corte el lado más largo para igualarlo con el corto.

OTROS CORTES EN CAPAS

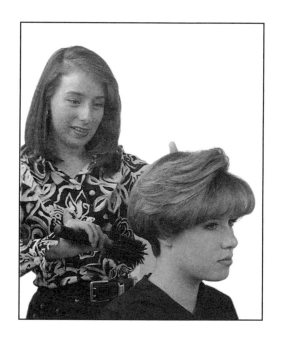

EL CORTE A UN SOLO LARGO Y EL CORTE EN CAPAS LARGO SON LAS DOS FORMAS MÁS SENCILLAS DE CORTE EN CAPAS. EN UNO, TODO EL CABELLO SE CORTA A LA MISMA DISTANCIA DEL CUERO CABELLUDO, Y EN EL OTRO, TODO EL CABELLO SE CORTA SOBRE UNA LÍNEA RECTA HORIZONTAL A UNOS 8 O 10 CM ARRIBA DE LA CORONILLA.

Pero hay muchas variantes en la línea de corte. Aquí mostramos esquemas de algunas de ellas, junto con la forma que asumiría el pelo ya cortado, si éste se erizara.

El corte en capas largas asume una línea en forma de sombrilla.

El corte en hongo o cuña toma precisamente esa forma.

Otro, el corte a la *garçón*, forma un perfil ligeramente ovoide.

El corte juvenil parece un capuchón egipcio recto.

Algunos cortes más no se hacen con el pelo hacia arriba en diversos ángulos, sino con la clienta agachada y la melena caída o abatida.

Éste recuerda una cola de caballo en la coronilla.

Hay otros cortes que se hacen con el cabello caído hacia un lado.

Unos más se cortan mediante unas especies de coletas laterales.

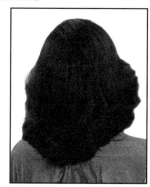

La diferencia principal entre el corte Bob y el corte en capas, como ya se ha expresado, es que en el Bob todo el cabello se peina hacia abajo y solamente se corta el perfil o contorno, con una elevación de 0 grados, en tanto que en los cortes en capas se corta todo el cabello levantado fuera de su caída natural, en diversos ángulos y líneas de corte.

Hay cortes que combinan una parte del pelo en la que solamente se corta el contorno a la Bob y otra parte se realiza en capas. (Variación del Bob y Bob con capas atrás.)

En este capítulo incluimos ejemplos de algunos de esos cortes. Así comenzamos por un corte en hongo, en el que el cabello de la nuca va muy desvanecido hacia arriba, hasta donde comienza el borde del hongo, donde contrasta notoriamente con el cabello más largo que viene de la coronilla.

En el corte a la garçon los mechones no se cortan del mismo largo, sino que siguen una línea de corte como huevo. Se le llama así por ser un corte que produce una apariencia muy juvenil a la vez que ligeramente varonil.

Como un tercer ejemplo se incluye el corte en capas con cabello corto, y más adelante otro en donde primero se delinea el contorno claramente y luego se hacen las capas.

Los cortes juveniles ilustran más sobre las diversas posibilidades que ofrece el corte en capas con una cierta audacia, que va bien con las chicas, particularmente las muy jóvenes con cabelleras largas.

El corte con la cabeza inclinada es interesante tanto por su apariencia como por la forma particular en que se realiza.

El corte Bob se singulariza principalmente porque la parte trasera del cabello, más larga que el resto, no va cortada en capas, sino que termina en un contorno redondeado a todo lo largo. Sin embargo, se puede combinar con un tratamiento en capas al frente y a los lados.

CORTE EN HONGO O CUÑA

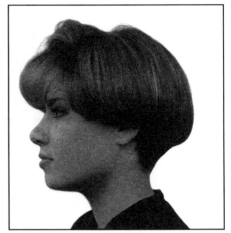

El estilo en hongo se desvanece al revés, con el pelo más corto en el nacimiento de la nuca baja y más largo en la coronilla.

Para cortarlo se divide la cabellera en cinco particiones: la superior del centro, que va desde la coronilla hasta la frente; la partición del frente, sólo para cuando hay flecos; las particiones laterales derecha e izquierda y la partición de la nuca dividida en nuca alta, nuca media y nuca baja.

Partición superior del centro

Partición de la nuca

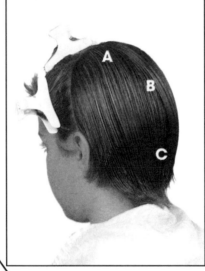

A) Nuca alta
B) Nuca media
C) Nuca baja

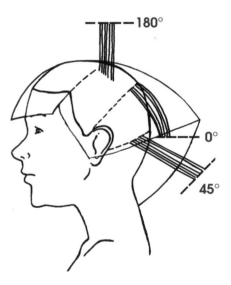

Partición lateral derecha

Partición lateral izquierda

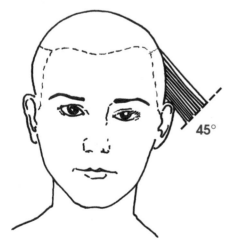

En este corte las diferentes franjas de la cabellera se deben cortar levantando el pelo en distintos ángulos. Así, la nuca baja se debe cortar con los mechones levantados a 45 grados, en tanto que la nuca **media se corta sin elevación, y la nuca alta con una elevación** de 180 grados.

Los lados se cortan levantando los mechones con una elevación de 45 grados.

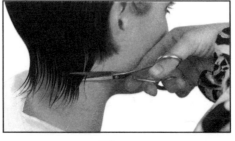

Para iniciar, peine hacia abajo todo el cabello y corte el contorno de la parte de atrás, el frente y los lados.

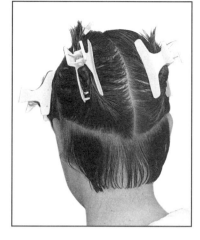

Luego, recoja el pelo de cada una de las franjas, menos la de la nuca baja, que debe formar una especie de V a partir de los lóbulos de las orejas hasta el centro del cuello, en su nacimiento.

Esta partición en V se divide en dos mitades y en cada mitad se toman tres o cuatro franjas diagonales que se unen en el centro. Esas franjas también se recogen, pero la de abajo, la de la línea de nacimiento del pelo, se deja suelta.

Tomando como referencia del largo el contorno, corte esta franja horizontalmente de la oreja hacia el centro, en dirección descendente para seguir el contorno de la cabeza.

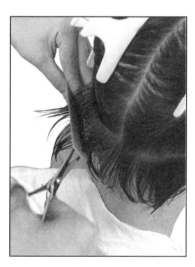

Ahora suelte la franja de la nuca media y elévela a 45 grados para cortarla del centro hacia las orejas, usando como referencia del largo el contorno y la primera franja, de manera que quede sobrepuesta y mezclada.

Luego, suelte la franja de la nuca alta, levántela a 45 grados y córtela, tomando como referencia del largo la primer franja.

En caso de que haya hecho una cuarta franja, repita el proceso hasta llegar al hueso occipital.

La siguiente partición va del hueso occipital hasta la coronilla. Suelte el pelo, déjelo caer y péinelo hacia abajo.

Ahora, comenzando por el lado derecho, estire el cabello en una elevación de cero grados y corte hacia el centro, usando la última franja de la nuca baja como referencia para el largo. Así continúe hasta llegar a la oreja izquierda. Aquí hay que tener cuidado de no cortar el pelo de las franjas usadas como guías. Para evitarlo, es preferible que eleve un poco los mechones de esta partición.

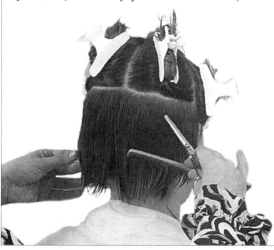

La siguiente partición es la coronilla, que forma un triángulo precisamente en la coronilla. Allí levante el cabello a un ángulo de 180 grados. Para determinar el largo, baje el mechón y transparéntelo contra el borde de los cabellos de la partición anterior. Luego, elévelo de nuevo y corte horizontalmente.

Con esto termina el rebajado de la parte de atrás. Enseguida se inicia el corte de la partición lateral izquierda.

Peine hacia abajo el pelo de la partición lateral izquierda. Si es muy abundante divídalo en dos franjas horizontales. Tome un mechón de la primera franja o capa elevándolo 45 grados y córtelo horizontalmente, usando el contorno como referencia para el largo.

Corte a 45°

Primera capa　　　　　**Segunda capa**

Después corte de manera semejante la segunda franja o capa usando el largo de la primera como referencia.

La partición lateral derecha se corta de la misma manera que el lado izquierdo; luego proceda a cortar el frente.

La partición del frente es un triángulo que va de la línea del centro de la cabellera a las sienes. Se peina hacia abajo y se divide en dos.

El lado izquierdo se levanta en un ángulo de 90 grados y se corta desde la sien hacia la frente, tomando el contorno como referencia para el largo.

El lado derecho del frente se corta de manera semejante, empezando en el centro y terminando en la sien. De ese modo el frente queda ligeramente desvanecido en capas.

Peine y revise para detectar errores.

Proceda a hacer la rectificación sin hacer cortes innecesarios; sólo empareje las franjas que estén ligeramente disparejas.

Para ello, eleve mechones verticales en un ángulo de 45 grados de **la nuca baja, comenzando desde el centro hacia la derecha y enseguida, del centro a la izquierda.** Rectifique con la tijera colocada en un ángulo adecuado para que el cabello vaya quedando paulatinamente más largo desde la línea de su nacimiento hasta el hueso occipital.

En los lados también eleve los mechones verticales en un ángulo de 45 grados y rectifique con la tijera inclinada para que el cabello sea cada vez más largo, desde la línea de su nacimiento hasta arriba de las orejas.

En la frente levante el cabello en franjas verticales con un ángulo de 45 grados y rectifique con la tijera completamente vertical.

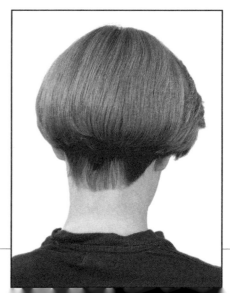

CORTE CONTORNEADO Y EN CAPAS

Éste es un corte fácil de hacer con el que se pueden realizar una gran variedad de peinados. Se realiza en dos etapas.

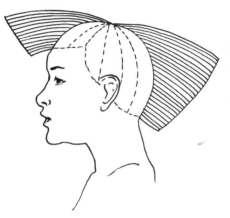

En la primera etapa se corta el contorno, y se da la longitud necesaria a los cabellos alrededor de la cabeza cortando con la tijera apoyada en la piel de la clienta. Al hacer el contorno también se da forma, pues se puede seguir el perfil que se prefiera con las armonías e irregularidades que cada quien elija.

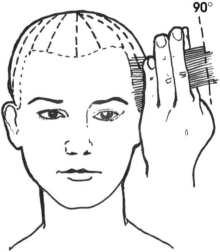

En la segunda etapa se levanta el cabello a 90 grados en gajos que parten del contorno y van a dar invariablemente a la coronilla. En **cada gajo se cortan sólo las puntas altas tomando en cada uno la misma cantidad de mechones, teniendo siempre como referencia el** cabello ya cortado, para lograr, a la vez, un largo y un desvanecimiento uniforme, de manera que los cabellos queden degradados o desvanecidos.

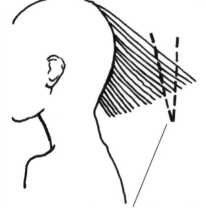

Inclinación de las tijeras

La diferencia en el degradado se da no por el cambio de ángulo del mechón, sino sólo por el ángulo de corte, variando la inclinación de las tijeras.

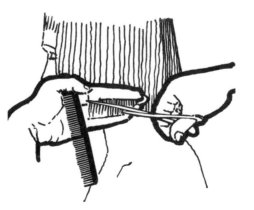

Una vez hecho el rebajado se procede al rectificado, tomando el cabello en mechones horizontales, en lugar de verticales como en los gajos.

Finalmente se procede al secado del cabello para peinarlo y retocarlo.

Éste es un corte que tiene una gran naturalidad y permite una amplia gama de estilos en el peinado.

CORTE JUVENIL

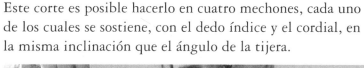

A las mujeres con cabelleras enormes les quedan muy bien los cortes en capas, además de que les dan una apariencia juvenil, con un cabello cada vez más largo de la frente hacia atrás.

Línea de corte

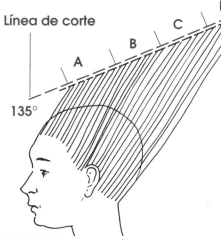

135°

En este caso la línea de corte no es horizontal, como en el corte en capas básico, sino que es una diagonal, cuyo punto más bajo está en el cabello de la frente y el más alto, en el cabello de la nuca.

El ángulo de inclinación tampoco es horizontal, como en el corte en capas básico, pues **conviene más una elevación de 135, en vez de 180 grados.**

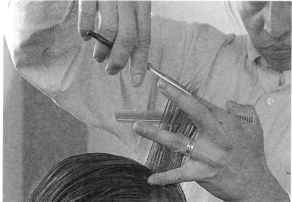

Este corte es posible hacerlo en cuatro mechones, cada uno de los cuales se sostiene, con el dedo índice y el cordial, en la misma inclinación que el ángulo de la tijera.

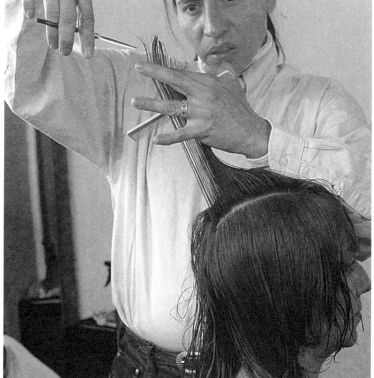

CORTE VERTICAL

Éste es un corte que se hace de un solo tijeretazo, con el resultado de que el largo de los cabellos decrece espectacularmente.

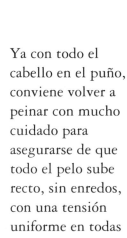

El cabello de toda la cabeza se peina y junta en un manojo en la coronilla, a unos 5 cm de la frente.

Ya con todo el cabello en el puño, conviene volver a peinar con mucho cuidado para asegurarse de que todo el pelo sube recto, sin enredos, con una tensión uniforme en todas partes.

Cuando este mechón único esté en su posición correcta, se puede sostener con una liga. Tenga cuidado de que el mechón y la liga no queden demasiado atrás, pues entonces el cabello del fleco puede quedar demasiado largo.

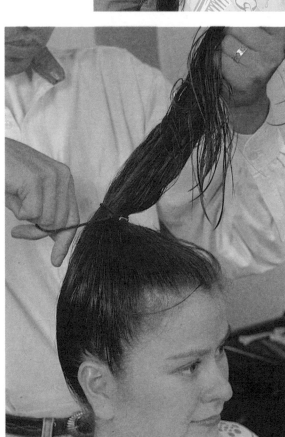

Enseguida, se hace un solo corte y se peina la cabellera.

BOB CON FLECO EN CAPAS

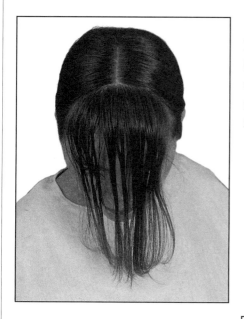

Para cortar el fleco en capas se requiere hacer una partición de oreja a oreja, en cuyo centro deberá quedar el vértice del triángulo que formará el cabello del fleco.

Para estar seguro de que el pelo tiene las características necesarias para una buena caída, conviene hacer una prueba del comportamiento del cabello ante distintos largos, cortando paulatinamente más corto un pequeño mechón del vértice del triángulo, para ver cómo cae ante distintos largos, tal como se explicó en el capítulo de la técnica básica.

Luego, se corta el fleco como se indicó anteriormente.

Enseguida, el triángulo se divide en varios gajos o franjas triangulares imaginarias que irradian del vértice del triángulo.

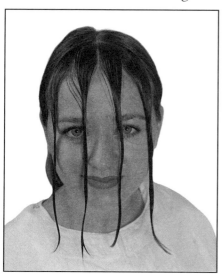

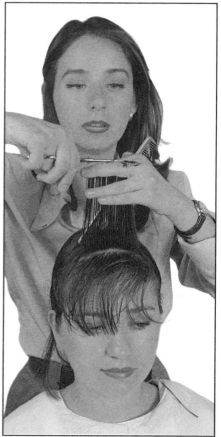

A continuación se coloca atrás de la persona, y del primer gajo de la izquierda se toma un mechón amplio, de todo lo largo de los dedos índice y cordial, que se levanta a 90 grados. Se corta, pero sin llegar a la orilla o contorno del fleco ya cortado, que debe caer sin cortar.

Peine y continúe el corte de los demás gajos.

Al terminar, rectifique el fleco en tres franjas horizontales, comenzando del vértice del triángulo hasta la frente.

CORTE A LA *GARÇON*

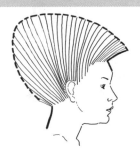

Este estilo de melena corta tampoco está hecho con un solo largo, sino en una curva imaginaria en la que el pelo más corto está en la base de la nuca, luego crece gradualmente hasta la nuca alta y desciende, paulatinamente, hasta la frente.

Forma del cabello erizado

Para realizar este corte se divide el cabello en cuatro o cinco franjas, una de las cuales abarca la nuca baja completa.

1 **Partición superior**
2 **Partición de la coronilla**
3 **Partición lateral**
4 **Particion lateral**
5 **Partición de la nuca**

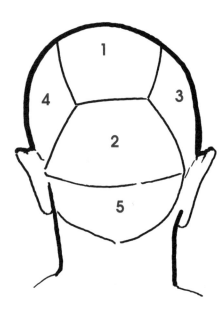

Se comienza por perfilar el cabello de la nuca baja, comenzando por la parte central, en donde se hace un corte al largo conveniente.

Enseguida, se toma un mechón del extremo izquierdo, abajo del lóbulo, y siguiendo una línea de corte circular, se corta al largo y con la inclinación convenientes.

De manera semejante, se corta otro mechón del extremo derecho.

Luego, se corta el mechón izquierdo junto al central, de modo que empate con el del extremo izquierdo.

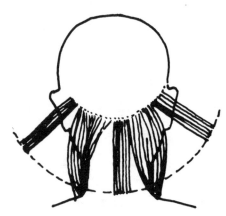

A continuación, se toma la partición de la nuca alta y se divide en dos mitades iguales, y cada mitad en tres o cuatro gajos o franjas que terminan imaginariamente en la coronilla. Se toma un mechón de abajo en el mismo sentido que el gajo y se corta tomando como referencia el cabello ya cortado de la nuca baja, siguiendo la línea de corte imaginaria.

De la misma manera se cortan todos los gajos de la partición de la nuca.

Se sigue con la partición de la coronilla, que se divide en gajos que culminan en su centro. Se toma un mechón del primer gajo, en el mismo sentido que éste, y se determina el tamaño, tomando como referencia los cabellos de la nuca alta, siguiendo siempre la línea de corte imaginaria.

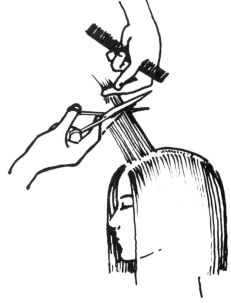

Se prosigue con la partición de arriba, junto a la frente, que se divide en tres o cuatro franjas que comienzan en la frente y terminan atrás, en la partición de la coronilla.

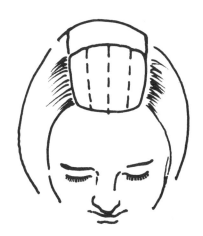

Se peina un mechón central, y tomando como referencia el pelo ya cortado de la coronilla, se corta sosteniendo la tijera en un ángulo de 45 grados. De manera semejante se cortan todos los mechones.

Si va a cortar fleco, peine el pelo hacia abajo, determine el largo correcto y corte sin mucha tensión en el mechón, colocada usted enfrente.

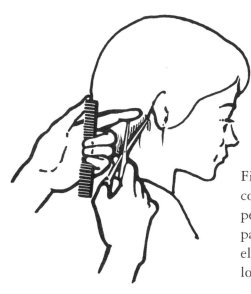

Finalmente, perfile el contorno, seque y peine la cabellera, para, por último, eliminar las puntas de los cabellos salientes.

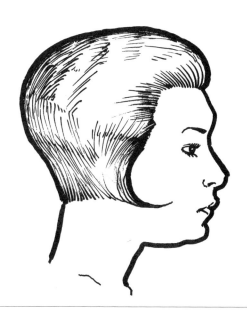

CORTE CON LA CABEZA INCLINADA

Este corte en capas con la cabeza inclinada produce un desvanecido muy atractivo en las cabelleras largas y semilargas.

El corte se hace con la persona inclinada hacia adelante y hacia abajo, con la cara en un plano paralelo al piso, mientras su cabello cuelga vertical hacia el suelo.

La cabellera se divide en dos a la mitad, con una raya perfectamente centrada que va desde la coronilla hasta la mitad de la nuca, para que las dos mitades del cabello cortado queden precisamente del mismo largo.

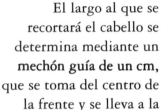

El largo al que se recortará el cabello se determina mediante un **mechón guía de un cm,** que se toma del centro de la frente y se lleva a la altura de las cejas, los ojos o la nariz, según se prefiera el largo, y se corta para que sirva de referencia.

Con la referencia del mechón guía se visualiza una línea recta horizontal. En todo el proceso de corte hay que tener cuidado de que la persona no cambie su posición.

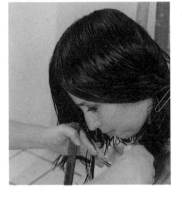

Se corta a partir del centro, primero un lado y luego el otro, colocándose a cada lado, para poder controlar perfectamente la línea de corte, que debe ser una recta perfecta.

Si el cabello es lacio el corte se facilita, pues casi basta el peso del cabello húmedo para que caiga completamente recto. Pero si es ondulado o rizado, habrá que peinar y sujetar cada mechón entre el dedo índice y el pulgar y ejercer un poco de tensión uniforme hacia abajo para que todo el cabello se corte sobre **una misma línea.**

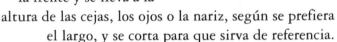

Al llegar a la altura de las orejas hay que jalar el cabello de modo que los pelos que pasan encima de ellas las aplanen, porque de otra manera, el cabello de ese punto quedaría ligeramente desproporcionado respecto al de junto.

Finalmente, es importante que el cabello así cortado también sea secado en la posición de corte, a fin de que al peinarlo adquiera su mejor caída y su más bella apariencia.